BAUSTEINE

Sprachbuch

2

Erarbeitet von
Katharina Acker, Köln
Björn Bauch, Kirchzarten
Ulrike Dirzus, Kamen
Matthias Greven, Olpe
Gabriele Hinze, Metelen
Alexandra Isack, Frankfurt
Hans-Peter Schmidt, Siegen

Diesterweg

Inhalt

So macht es Quiesel

— Kompetenzen
   der Seite

— Vorschläge
   zur Differenzierung

— Verweise auf
   weiteres Material

3

START

In der Schule

Große Tiere, kleine Tiere

Willkommen in Klasse 2!

Der Natur auf der Spur

Überall auf der Welt

Im Land der Fantasie

Das braucht ihr

• Würfel
• Spielfiguren
• ein weiteres Sprachbuch

Ich – Du – Wir

Echt abenteuerlich

Von Kopf bis Fuß

ZIEL

Rund ums Buch

Spielanleitung

Würfelt abwechselnd
und setzt eure Spielsteine.
Wenn ihr auf die bunten Felder kommt,
müsst ihr eine Frage beantworten.

Was kannst du
in dem Kapitel lernen?
Auf welcher Seite
findest du das Symbol?
Auf welcher Seite
findest du das Symbol?

Bei einer richtigen Antwort
gleich noch einmal würfeln.

Wer als Erstes
im Ziel ist,
hat gewonnen.

1. Was wünschen sich die Kinder?

2. Wer kann die Wünsche erfüllen?

3. Welche Wünsche hast du für die Schule?

– appellieren: Wünsche
formulieren und begründen
– eigene Ideen einbringen

– ÜH, Seite 4
– KV 1, 2

1. Schreibe deine Wünsche für das Schuljahr auf.

2. Welche Wünsche sind dir besonders wichtig? Markiere sie.

3. Warum sind diese Wünsche besonders wichtig? Erkläre.

Ich wünsche mir, dass wir uns vertragen.

– persönliche Erfahrungen im
  Gespräch einbringen
– eigene Meinung begründen

– ÜH, Seite 4
– KV 1, 2

7

Wünsche formulieren

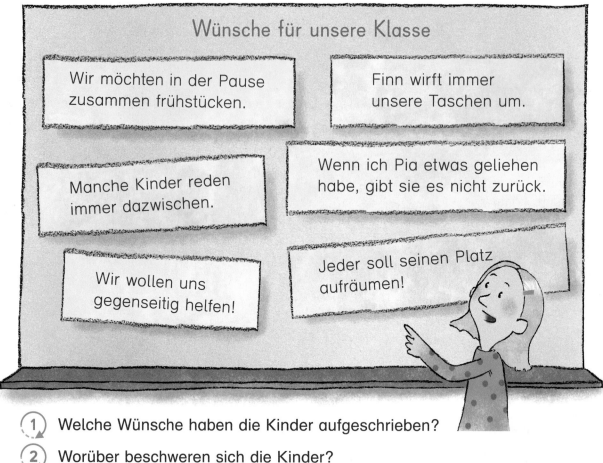

Wünsche für unsere Klasse

Wir möchten in der Pause zusammen frühstücken.

Finn wirft immer unsere Taschen um.

Manche Kinder reden immer dazwischen.

Wenn ich Pia etwas geliehen habe, gibt sie es nicht zurück.

Wir wollen uns gegenseitig helfen!

Jeder soll seinen Platz aufräumen!

1. Welche Wünsche haben die Kinder aufgeschrieben?

2. Worüber beschweren sich die Kinder?

3. Wähle eine Aufgabe aus:

   ○ Schreibe die Wünsche der Kinder auf.

   ○ Schreibe die Beschwerden der Kinder als Wünsche auf.

   ○ Schreibe einen Wunsch als Wunsch und als Beschwerde auf.

4. Vergleicht eure Wünsche.
   Prüft, ob ihr Wünsche oder Beschwerden aufgeschrieben habt.

5. Überlegt gemeinsam,
   wie ihr die Wünsche formulieren wollt.

Gemeinsam lerner → Seite 40

– funktionsgerecht schreiben: Wünsche
– sprachliche Mittel sammeln

– MP Fö, KV 151, KV 152

– ÜH, Seite 4
– KV 1, 2

Wunschplakate erstellen

Wir wollen eine Lesenacht machen.

Wir finden es gut, wenn wir beim Lernen viel Spaß haben.

Wir wollen uns gegenseitig besser zuhören.

Wir möchten gern eine Märchen-erzählerin einladen.

Wir möchten uns morgens freundlich begrüßen.

Wir wünschen uns ...

Wir wünschen uns einen Besuch im Zoo.

1 Wie können die Kinder ihre Wünsche ordnen?

2 Lest euch eure Wünsche vor. Wie wollt ihr sie ordnen?

3 Stimmt ab, welche Wünsche ihr auf euer Klassenplakat schreiben wollt.

Wir wünschen uns ...

Tolles Plakat! Das kann man gut lesen. Die Bilder passen prima.

4 Gestaltet ein Wunschplakat für eure Klasse.

Plakat gestalten → Seite 64

Das Abc kennen

A	B	C	D	E		Tom trinkt gerne Tee.
F	G	H	I	J		Murat rechnet flott.
K	L	M	N	O		Sarah lacht so froh.
P	Q	R	S	T		Kim will keinen Schnee.
U	V	W	X	Y	Z	Paul ist richtig nett.

(1) Lies das Abc-Gedicht vor.

(2) Wähle eine Aufgabe aus:

  ◯ Schreibe das Abc-Gedicht ab.

  ◯ Schreibe ein Abc-Gedicht mit anderen Namen.

  ◯ Schreibe ein anderes Abc-Gedicht.

----

der **A**pfel	der **C**omputer	das **H**eft	der **D**rucker
das **B**uch	der **F**üller	das **P**lakat	der **Z**ettel

(3) Schreibe die Wörter auf Karten und sortiere sie nach dem Abc.

W■r l■rn■n d■s ■bc.
W■r tr■g■n ■bc-G■d■cht■ v■r.
W■r s■ch■n d■s W■rt ■n d■r L■st■.

> a - e - i - o - u,
> alle hören zu!

(4) Schreibe den Text richtig auf.
Markiere die eingesetzten Buchstaben im Text.

!

Aa Ee Ii Oo Uu sind **Selbstlaute (Vokale)**.
Alle anderen Buchstaben sind **Mitlaute (Konsonanten)**.
Das Abc heißt auch **Alphabet**.

– mit Sprache spielerisch
umgehen
– Vokale/Konsonanten erkennen

– MP Fö, KV 1-6, KV 11-14,
KV 169

– ÜH, Seite 5, 9, ~~7~~7
– LSW, Übung 1
– KV 3, 4

Wörter in Silben gliedern

Bü|cher le|sen,
in die Hef|te schrei|ben,
mit Bunt|stif|ten ma|len.

Schultaschen tanzen,
Kartenständer springen hoch,
Klaviertasten fliegen zur Tafel.

1 Sprecht die Silben, wie es die Roboter tun.
Macht zu jeder Silbe einen Schritt, schwingt oder klatscht.

---

2 Spielt gemeinsam das Silbenspiel:

- Schreibt Wörter mit ein, zwei, drei
  oder vier Silben auf Kärtchen.

- Hängt Schilder mit ein, zwei, drei oder
  vier Silbenbögen in der Klasse auf.

- Ein Ansager zieht ein Wortkärtchen
  und liest das Wort laut vor.
  Alle anderen Kinder überlegen,
  wie viele Silben das Wort hat.

Lesebuch

- Wer weiß, wie viele Silben das Wort hat,
  geht zu dem Schild mit der
  richtigen Anzahl an Silbenbögen.

- Der Ansager sagt, welche Kinder richtig stehen.

→ Seite 16

3 Schreibe lange Wörter auf und zeichne die Silbenbögen ein:
Lieblingsbuchvorlesenachmittag

!

> **Silben** sind Teile von Wörtern: Quiesel, Schule
> Manche Wörter haben nur eine Silbe: Heft, Buch

– Wörter strukturieren: Silben
– Möglichkeiten der Wortbildung
  kennen und anwenden

– MP Fö, KV 19, KV 20, KV 180
– RS, Seite 3

– ÜH, Seite 6, 10
– LSW, Übung 2
– KV 5, 6

11

Selbstlaute in Silben erkennen

Aa Ee Ii Oo Uu

Nach der Schule sich bewegen
und wir hopsen gern im Regen.
Fahrrad fahren, springen, lachen
und so manchen Unsinn machen.

1 Lies den Vers. Sprich jede Silbe deutlich.

2 Schreibe den Vers ab. In welchen Silben findest du Selbstlaute?
Markiere sie.

3 Was stellt ihr fest?

---

der St∎ft   das H∎ft   der P∎ns∎l
die Kn∎t∎   die L∎p∎   das L∎s∎b∎ch
die T∎m∎t∎n   das F∎t∎   der R∎g∎nsch∎rm

4 Suche die passenden Selbstlaute.
Sprich die Wörter in Silben.

5 Schreibe die Wörter auf und zeichne die Silbenbögen ein.

6 Markiere die Selbstlaute. Vergleicht eure Ergebnisse.

7 Was hast du in deiner Schultasche?
Arbeite wie in Aufgabe 5.

!

Jede Silbe hat mindestens einen **Selbstlaut**:
Heft, Tasche, Lesebuch

Gemeinsam lernen
→ Seite 40

– Rechtschreibstrategien verwenden   – MP Fö, KV 21/22, KV 35/36   – ÜH, Seite 6, 10
– Vokale und Konsonanten kennen   – RS, Seite 4   – LSW, Übung 2
  und unterscheiden   – KV 7

Silben schwingen und genau hören

Sprich das Wort in Silben. Jede Silbe hat einen Selbstlaut.

die Regl

das   der   die

der   der   die

der   die   der

W

die Ampel
das Fenster
der Morgen
der Ranzen
die Tafel
der Wecker

an
draußen
hell
klingeln
nun
treffen

1 Welches Wort wollte das Kind schreiben?
Was hat das Kind falsch gemacht?

2 Wie kann es den Fehler vermeiden?

3 Schreibe die Wörter zu den Bildern auf.
Markiere die Selbstlaute.
Markiere die Endungen -el, -en oder -er
mit verschiedenen Farben.

4 Suche weitere Wörter mit -el, -en und -er.
Schreibe sie auf. 🧰

Wörter üben
→ Seite 29

Am Morgen

Der Wecker klingelt.
Ich schaue aus dem Fenster. Es ist draußen
schon hell. Ich hole meinen Ranzen.
Nun laufe ich los. An der Ampel treffe ich Jonas.
Er ist mein bester Freund.

Abschreiben
→ Seite 17

5 Schreibe den Text ab. Zeichne die Silbenbögen ein.

– Rechtschreibstrategien verwenden
– methodisch sinnvoll abschreiben:
  Text mit 29 (34) Wörtern

– MP Fö, KV 35/36, KV 37/38
– RS, Seite 6

– ÜH, Seite 7, 8, 10, 11
– LSW, Übung 2, 3
– KV 7, 8, 9

13

Das Abc kennen

A,B, _ _, P, _
_, D, _ _, T, _
_, H, _ _, V, _
_, K, _ _, Y, _

10, 15, 14, 1, 8
18, 21, 20, 8
2, 9, 18, 20, 5
8, 5, 12, 5, 14

1 Wähle eine Aufgabe aus:

⟳ Schreibe das Abc in der richtigen Reihenfolge auf.

⟳ Finde Vorgänger und Nachfolger zu den Buchstaben.

⟳ Entschlüssle die Zahlenschrift mit dem Abc.

Tipp
A = 1
B = 2 ...

Selbstlaute und Mitlaute kennen

Unsere Schule: Wir toben und lachen zusammen, wir zanken und vertragen uns, wir helfen und lernen, lesen und rechnen und haben jede Menge Spaß.

■m b■ckt l■ck■r■
W■ff■ln. ■m N■chm■tt■g
k■mmt B■rt■ z■ Bes■ch.
B■rt■ sch■nkt ■hr
fr■sch■ Bl■m■n.

2 Wähle eine Aufgabe aus:

⟳ Schreibe den Text von der Tafel ab. Markiere die Selbstlaute.

⟳ Setze rechts passende Selbstlaute ein und schreibe den Text auf.

⟳ Suche Wörter, bei denen du verschiedene Selbstlaute einsetzen kannst. Schreibe so: Hund — Hand, ...

– Alphabet kennen und nutzen
– Vokale und Konsonanten erkennen

– MP Fö, KV 1-6, KV 11-14

– ÜH, Seite 5, 9, 77
– LSW, Übung 1
– KV 3, 4

Silben kennen

Paul hatte mal vier Kühe,
sie machten ihm viel Mühe,
sie sprangen übern Weidezaun
und sind dem Paule abgehaun.

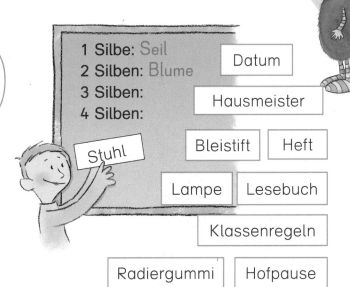

1 Silbe: Seil
2 Silben: Blume
3 Silben:
4 Silben:

Datum

Hausmeister

Stuhl

Bleistift   Heft

Lampe   Lesebuch

Klassenregeln

Radiergummi   Hofpause

1 Wähle eine Aufgabe aus:

⟳ Schreibe die Sätze der Kinder ab und zeichne Silbenbögen ein.

⟳ Ordne die Wortkarten der richtigen Silbenzahl zu. Schreibe sie auf.

⟲ Finde Wörter mit mehr als vier Silben.

 ## Selbstlaute in Silben erkennen

Tol le Schu le
Im Un ter richt gibt es fri sche
Waf feln. Ge trun ken wird kal te
Li mo. Die Leh re rin nen
spie len mit uns Fan gen.

Stundenplan

1. L st g W tz
2. B st ln nd m l n
3. R llbr ttst nd
4. Z s mm n k ch n
5. S ng n nd t nz n

2 Wähle eine Aufgabe aus:

⟳ Schreibe den Text auf. Markiere die Selbstlaute.

⟳ Ergänze im Stundenplan die fehlenden Selbstlaute.

⟲ Finde Wörter zu den vorgegebenen Selbstlauten:
i e, o e, e e o, a e, e e i, u e a, u e, a a e

– Wörter strukturieren: Silben
– Rechtschreibstrategien verwenden:
  Silben schwingen

– MP Fö, KV 19/20, KV 21/22
– RS, Seite 3, 4, 5

– ÜH, Seite 6, 7, 10
– LSW, Übung 2
– KV 5, 6, 7

15

 Mit dem Portfolio arbeiten

> Mein Portfolio ist meine Schatzkiste.

In meiner Schatzkiste sammle **ich** alle Geschichten, Texte und Bilder, die **mir** wichtig sind.

Ich wähle aus, **was** ich in mein Portfolio legen will.

Ich überlege, **warum** ich mich dafür entscheide. Ich spreche mit einem Lernpartner darüber.

1 Sammelt eure Arbeiten. Legt euch eigene Schatzkisten an.

> Die Geschichte ist mir gut gelungen.

> Das hat mir großen Spaß gemacht.

> Das war richtig schwierig.

> Ich habe so schön geschrieben.

2 Warum möchten die Kinder ihre Arbeiten in ihrem Portfolio ablegen?

3 Was wählst du für dein Portfolio aus? Stelle es der Klasse vor. Erzähle, warum du dich für diese Arbeit entschieden hast.

– über Lernerfahrungen sprechen
– Lernergebnisse präsentieren
– Begründungen geben

– KV 10, KV 11

Mit der Quiesel-Karte abschreiben

Wenn ich einen Text abschreiben will, kann ich die Quiesel-Karte verwenden.

Wünsche

Abschreiben

1. Wort **lesen** und deutlich **sprechen**.
2. Schwierige Stellen **merken**.
3. Wort **abdecken**.
4. **Schreiben** und **mitsprechen**.
5. Wort **aufdecken** und **vergleichen**.
6. Fehler?
   Wort **durchstreichen** und
   richtig **aufschreiben**.

Kontrollieren

1. Wort für Wort von hinten **lesen**.
2. Dabei genau **lesen** und **mitsprechen**.
3. Fehler? Wort **durchstreichen**
   und richtig **aufschreiben**.

(1) Erzähle, wie Quiesel mit der Quiesel-Karte abschreibt.

In grauer Schrift findest du extra Abschreibfutter.

Wünsche

Ich möchte neben Lena sitzen.
Ich möchte singen und lachen.
Ich möchte mit Quiesel um die Tafel tanzen.

(2) Schreibe den Text mit der Quiesel-Karte ab.

– Arbeitstechniken nutzen:
  methodisch sinnvoll abschreiben
– Übungsformen selbstständig nutzen

– MP Fö, KV 187

– ÜH, Seite 11
– KV 12

17

Erzähltipps

Kann man alles verstehen?
Verwendest du Wörter,
die alle kennen?
Sprichst du laut und deutlich?

1. Zu welchem Bild möchtest du erzählen?
Um welches Tier geht es?
Was ist Besonderes passiert?
Wie geht es weiter?

2. Über welches Tier möchtest du noch erzählen?
Beachte die Erzähltipps.

– erzählen: über Bilder sprechen
– persönliche Erlebnisse
im Gespräch einbringen

Die Ziegen haben Hunger.

Die Ziegen kuscheln.

Sie schlafen.

Alle warten auf Besucher.

1. Suche dir ein Bild aus und schreibe einen Satz dazu auf.

2. Lest euch die Sätze gegenseitig vor. Welche Sätze passen?

– nach Anregung eigene Texte
  schreiben
– konstruktive Rückmeldung geben

19

Texte nach Mustern schreiben: 5-Finger-Geschichte

Meine Schwester ist ein Jahr alt.

Sie krabbelt überall hin.

Gestern ist sie in den Hundekorb gekrabbelt.

Dann hat sie sich hingelegt.

Unser Hund hat gebellt.

(1) Warum heißt diese Geschichte 5-Finger-Geschichte?

Wir waren im Streichelzoo.

Dort wollten wir die Ziegen füttern.

Eisbären sind große Tiere.

Die Ziegen haben uns aus der Hand gefressen.

Morgen wird es vielleicht regnen.

Tim hat Futter geholt.

Aber dann haben sie uns angesprungen.

(2) Suche passende Sätze aus,
die zu einer 5-Finger-Geschichte gehören.
Schreibe die Geschichte auf.

 Tipp

Stimmt die Reihenfolge?
Passen die Sätze zur Geschichte?

– sprachliche Mittel nutzen:
Textmodelle
– eigene Schreibideen entwickeln

– MP Fö, KV 153, KV154

– ÜH, Seite 12
– KV 13, 14

Texte überarbeiten: 5-Finger-Geschichte

Unser Vogel nimmt immer seine Glocke in den Schnabel.

Wenn er ...

1. Schreibe fünf Sätze für eine 5-Finger-Geschichte auf Papierstreifen.

2. Überlege, ob alle Sätze zu der Geschichte passen.

3. Achte auch auf die Reihenfolge. Was passiert nacheinander?

4. Zeichne deine Hand auf ein Stück Papier. Schreibe in jeden Finger der Hand einen Satz.

5. Lest euch die Geschichten gegenseitig vor.

Unser Hund heißt Bodo. Er ist ganz klein. Er spielt gern mit mir. Dann hüpft er lustig. Bodo ist lieb.

Nomen kennenlernen und ordnen

Menschen	Tiere	Pflanzen	Dinge
die Mutter	der Igel	die Blume	das Glas
der Forscher			der Käfig

Welche Wörter sind Namen für Tiere?

Welche Wörter sind Namen für Pflanzen?

das Gras

der Vogel

die Lupe

der Baum

der Eimer

der Strauch

das Kind

das Kaninchen

der Pfleger

der Pfau

1. Lest die Wörter auf den Zetteln.
   Wie können sie geordnet werden?

2. Schreibe die Tabelle ab
   und ordne die Wörter zu.

3. Finde zu den Überschriften weitere Nomen
   und schreibe sie in die Tabelle.

!

Nomen sind Namen für Menschen, Tiere, Pflanzen und Dinge:
das Kind, der Igel, die Blume, das Glas

– Wörter sammeln und ordnen
– Nomen kennen und bestimmen
– Fachbegriffe verwenden

– MP Fö, KV 87-90, KV 83/84,
  KV 170/171
– RS, Seite 21

– ÜH, Seite 13, 17
– LSW, Übung 4
– KV 15

Nomen kennenlernen: Einzahl und Mehrzahl

ein Hund	ein Hase	ein Pferd	
viele Hunde			
viele Hasen	ein Esel	viele Katzen	ein Schwein

1. Welche Karten ergeben ein Paar?
   Erklärt die Spielregel.

2. Wähle eine Aufgabe aus:

   Welche Wortpaare sind schon aufgedeckt?
   Schreibe sie auf.

   Schreibe zu allen Nomen die Einzahl und die Mehrzahl auf.

   Schreibe weitere Kartenpaare.

3. Erklärt das der-die-das-Spiel.

4. Schreibt Nomen auf Karten und spielt das Spiel.
   Verwendet Nomen aus der Wörterliste.

Nomen gibt es in der **Einzahl** und in der **Mehrzahl**.

der Hund	– die Hunde	ein Hund	– viele Hunde
die Katze	– die Katzen	eine Katze	– viele Katzen
das Wiesel	– die Wiesel	ein Wiesel	– viele Wiesel

Nomen können als **Artikel** (Begleiter) **der, die, das** und **ein, eine** haben.

– Singular und Plural kennen
– Nomen kennen und bestimmen
– Fachbegriffe verwenden

– MP Fö, KV 91-94, KV 170/171
– RS, Seite 22, 23

– ÜH, Seite 13, 17
– LSW, Übung 5
– KV 15-18

23

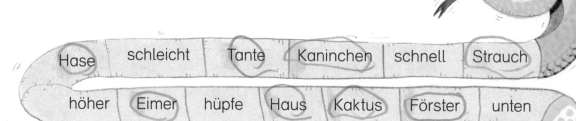

| Hase | schleicht | Tante | Kaninchen | schnell | Strauch |
| höher | Eimer | hüpfe | Haus | Kaktus | Förster | unten |

1 Welche Wörter sind Nomen?
Schreibe sie auf.

2 Vergleicht eure Ergebnisse.
Erkläre, wie du die Nomen
herausgefunden hast.

3 Markiere die Anfangsbuchstaben.

Gemeinsam lernen
→ Seite 40

---

schmetterlinge flattern über die blumen.
vögel singen in den bäumen.
lea sitzt auf der bank unter dem sonnenschirm.
äpfel und birnen liegen in einer schale auf dem tisch.
quiesel möchte einen apfelkuchen backen.

Ich finde
13 Nomen.

4 Schreibe den Text richtig auf.
Vergleicht eure Ergebnisse
oder schaue in der Wörterliste nach.

5 Erklärt euch gegenseitig,
wie ihr die Nomen gefunden habt:
Schmetterling ist ein Nomen, weil ...

!

N↑ **Nomen schreiben wir groß:**
der Hase, der Hund

Nachschlagen
→ Seite 28

– grammatisches Wissen für
Großschreibung nutzen
– Nomen kennen und bestimmen

– MP Fö, KV 95-98
– RS, Seite 24

– ÜH, Seite 14, 18, 19
– KV 19

Ähnliche Laute richtig schreiben

> Drachen   Licht   kriechen   Stacheln   Milch
> weich   lachen   Teppich   suchen   freundlich   nicht
> Knochen   brauchen   leicht   Kuchen   Nacht

1 Sprich die Wörter deutlich.
Schreibe sie in eine Tabelle.

Das ch klingt wie in	Das ch klingt wie in

W

dicht
das **Futter**
der **Hund**
die **Stacheln**
suchen
der **Weg**

2 Zu welchen Wörtern findest du Reimwörter?
Schreibe sie auf:
Drachen — machen, ...

flink
der **Igel**
kommen
rennen
rollen
sehen

Der Igel

Der Igel sucht nach Futter.
Er rennt flink über den Weg.
Da kommt ein Hund.
Der Igel rollt sich ein.
Es sind nur noch seine dichten Stacheln
zu sehen.
Der Hund schnuppert vorsichtig.

3 Schreibe den Text ab
und unterstreiche die Nomen.

Abschreiben
→ Seite 17

– Lautqualitäten erkennen
– methodisch sinnvoll abschreiben:
  Text mit 31 (35) Wörtern

– ÜH, Seite 11, 15, 16
– LSW, Übung 6
– KV 20, 21

25

Nomen erkennen und ordnen

Zaun Känguru Papagei Parkbank Stift

Kind Tierwärter Kaninchen Kaktus

Blume Kürbis Elefant Maus Schlange Baum

Ameise Pferd Fahrrad Fußball Gärtner

Hund Tomate Sonnenblume Rose

1 Wähle eine Aufgabe aus:

Schreibe zehn Nomen auf. Markiere die Anfangsbuchstaben.

Schreibe die Nomen auf.
Sortiere sie nach Menschen, Tieren, Pflanzen und Dingen.
Schreibe so: Menschen: Kind, ...

Finde Nomen, die keine Menschen, Tiere, Pflanzen
oder Dinge sind. Schreibe sie auf.

Nomen kennen: Artikel (Begleiter)

der Zug	das Auto
das Essen	die Kastanie
der Fuchs	das Tuch
der Adler	die Hecke

Boot Turnschuh Schlange
Känguru Tierwärter Katze
Wiese Hamster Rennmaus

2 Wähle eine Aufgabe aus:

Schreibe die Nomen links mit ihrem Artikel auf.

Schreibe die Nomen rechts mit ihrem Artikel auf.

Schreibe Nomen in der Einzahl und Mehrzahl mit Artikel auf.
Was fällt dir auf?

– Benennungsfunktion
  von Nomen kennen
– Artikel zuordnen

– MP Fö, KV 87-90, KV 93/94
– RS, Seite 21, 23

– ÜH, Seite 13, 14, 17, 18
– LSW, Übung 4
– KV 15, 17, 18

Nomen kennen: Einzahl und Mehrzahl

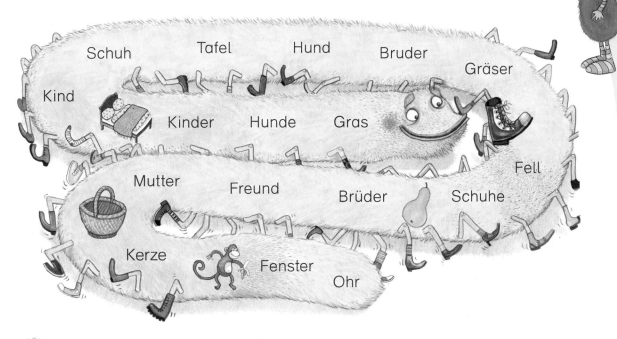

Schuh Tafel Hund Bruder Gräser

Kind Kinder Hunde Gras

Mutter Freund Brüder Schuhe Fell

Kerze Fenster Ohr

1 Wähle eine Aufgabe aus:

↻ Welche Nomen gehören zusammen?
Schreibe so: ein Schuh — viele Schuhe, ...

↻ Schreibe zu allen Bildern die Einzahl und die Mehrzahl auf.

↻ Finde Nomen, bei denen die Einzahl
und die Mehrzahl gleich sind.

Nomen erkennen

> auto hase gruselig bunt elefant lastwagen neugierig nett
> regenwurm ball schildkröte flink schwimmbad

2 Wähle eine Aufgabe aus:

↻ Finde alle Nomen. Schreibe sie auf.

↻ Wie kannst du die Nomen erkennen? Erkläre alle Regeln.

– Singular und Plural kennen – MP Fö, KV 91/92, KV 95/96 – ÜH, Seite 13, 14, 18
– Großschreibung von Nomen – RS, Seite 22, 24 – LSW, Übung 5
  anwenden – KV 15, 16, 19

27

Wörter in der Wörterliste nachschlagen

Zuerst suche ich den Anfangsbuchstaben in der Wörterliste.

Wenn ich wissen will, wie ein Wort geschrieben wird, schaue ich in der Wörterliste nach.

Die Wörter sind dort nach dem Abc geordnet.

(1) Wo findest du diese Buchstaben im Abc: C, P, X, G, J, R, U, M?
Vorn, in der Mitte oder hinten? Schreibe die Buchstaben auf
und markiere sie mit der passenden Farbe.

▪ffe

▪öwe

▪lefant

▪iege

▪är

▪iger

▪ildschwein

▪alle

(2) Sprich die Wörter deutlich. Welchen Laut hörst du am Anfang?

(3) Suche die Tiernamen in der Wörterliste. Gib die Seitenzahl an.
Schreibe die Wörter so auf: der Affe, die Affen, Seite 138, ...

Mit der Profikarte Wörter üben

Wenn ich Wörter mit der Profikarte übe, kann ich sie nachher richtig schreiben.

① Ich trage die Übungswörter in meine Profikarte ein.
Ich kontrolliere Wort für Wort.
Ich markiere schwierige Stellen.

② Ich übe die Wörter jeden Tag.
Für jedes richtige Wort male ich einen Stern an.

③ Wenn ich ein Wort viermal richtig geschrieben habe, male ich den großen Stern an.

W

Profikarte 1	Name: Quiesel		
	dicht	☆ ☆ ☆ ☆	☆
	das Futter	☆ ☆ ☆ ☆	☆
	der Hund	☆ ☆ ☆ ☆	☆
		☆ ☆ ☆ ☆	☆
		☆ ☆ ☆ ☆	☆
		☆ ☆ ☆ ☆	☆
		☆ ☆ ☆ ☆	☆
		☆ ☆ ☆ ☆	☆
		☆ ☆ ☆ ☆	☆
		☆ ☆ ☆ ☆	☆
		☆ ☆ ☆ ☆	☆
		☆ ☆ ☆ ☆	☆

dicht
das Futter
der Hund
die Stacheln
suchen
der Weg

flink
der Igel
kommen
rennen
rollen
sehen

(1) Lege dir eine Profikarte an.
Trage deine Übungswörter ein.

– geübte, rechtschreibwichtige Wörter   – MP Fö, KV 71/72   – KV 23
  normgerecht schreiben
– Übungsformen selbstständig nutzen

29

(1) Welche Menschen begrüßen sich? Wie tun sie das?

(2) Spielt die Situationen auf dem Bild.
Probiert verschiedene Begrüßungen aus.

(3) Wo passt die Begrüßung nicht?
Welche Begrüßung wäre passender?

– Sprachkonventionen kennen
und beachten: Begrüßungen
– Dialekte erkennen

1. Was können die Kinder auf dem Fest erleben?

2. An welches Fest erinnerst du dich gern?
   Was hast du dort erlebt?

3. Schreibe eine 5-Finger-Geschichte zu deinem Erlebnis auf.

Texte planen und schreiben: Gruppengeschichte

Gestern haben wir uns auf dem Stadtfest getroffen. Wir waren auf der Hüpfburg und beim Kistenrennen.

Danach sind wir zum Würstchenstand gegangen. Wir haben vier Würstchen bestellt.

Stadtfest

Als Tamino in sein Würstchen beißen wollte, war es plötzlich weg.

Dann haben wir den Dieb gesehen. Es war Taminos Hund Luna.

1 Wie sind die Kinder bei der Planung ihrer Geschichte vorgegangen? Wofür brauchen sie den roten Faden?

2 Spielt die Planung der Geschichte mit Kindern aus eurer Klasse nach.

3 Zu welchen Themen wollt ihr eine Gruppengeschichte schreiben? Sammelt an der Tafel.

4 Suche dir ein Thema aus. Bilde eine Gruppe mit den Kindern, die das gleiche Thema haben wie du. Arbeitet wie die Kinder auf dem Bild.

5 Schreibt eure Gruppengeschichte auf.

6 Besprecht in eurer Gruppe:
- Was war gut daran, gemeinsam eine Geschichte zu schreiben? Was nicht?
- Was hast du beim gemeinsamen Schreiben gelernt?
- Was wollt ihr beim nächsten Mal besser machen?

Gemeinsam lernen
→ Seite 40

– Gesprächsregeln beachten
– Texte mit verschiedenen Methoden planen und schreiben

– MP Fö, KV 155, KV 156

– ÜH, Seite 20

Texte überarbeiten: Gruppengeschichte

1. Wie arbeiten die Kinder?

2. Wähle eine Aufgabe aus:

   ⟲ Welche der vorgeschlagenen Überschriften passt, welche nicht?

   ⟲ Welche Überschrift findest du am besten? Begründe deine Wahl.

   ⟲ Was macht eine gute Überschrift aus? Schreibe auf.

Tipp

Passt die Überschrift?
Stimmt die Reihenfolge?

3. Wie soll die Geschichte überarbeitet werden? Schreibe die überarbeitete Geschichte auf.

4. Überprüft gemeinsam eure eigenen Gruppengeschichten. Markiert, was ihr verändern wollt. Schreibt die überarbeitete Geschichte auf. 📦

5. Lest euch die Geschichten gegenseitig vor.

– sich an gemeinsamen
  Schreibprojekten beteiligen
– Texte sprachlich optimieren

– MP Fö, KV 155, KV 156

– ÜH, Seite 20
– KV 24

33

Verben kennenlernen

| laufen | malen | tanzen | spielen | klettern | wippen |

1 Die Kinder erzählen, was sie tun.
Schreibe auf: Wir laufen. Wir ...

> Wir ...

2 Welche Wörter sagen, was die Kinder tun?
Unterstreiche sie.

> **Wir** gehen heute in den Zoo.

> **Wir** fahren dahin mit dem Zug.

> **Wir** lachen viel und haben Spaß.

> **Wir** sehen Affen und ein Gnu.

> **Ich** gehe ...

3 Schreibe auf, was Quiesel antwortet.
Erfindet auch eigene Sätze.

4 Wähle eine Aufgabe aus:

> Was fällt dir auf?

Schreibe Sätze mit Verben: Ich schwimme. Ich ...

Bilde Wortpaare und schreibe sie so auf:
ich schwimme — wir schwimmen, ich baue — ...

Schreibe ein Verben-Abc. 🧰

!

Verben geben an, was jemand **tut**: laufen, spielen
Die **Wir-Form** der Verben ist wie die **Grundform**: wir lachen — lachen
In der Wörterliste stehen die Verben in der **Grundform**.

– mit Sprache spielerisch umgehen
– Verben kennen und bestimmen
– Fachbegriffe verwenden

– MP Fö, KV 101-104, KV 111-114, KV 172

– ÜH, Seite 21, 25
– LSW, Übung 7
– KV 25, 26, 27

Sätze erkennen

Finn schaukelt // Timo rennt // Lars spielt Ball // Leonie
und Marie wippen // Die Lehrerin lacht // Jan fängt Peter //

1 Wo ist ein Satz zu Ende?
Klopft am Satzende
und macht eine kleine Pause.

> Hier ist ein Satz zu Ende.
> Da muss ein Punkt hin.

Nele bastelt Herr Müller schwimmt Die Lehrerin schreibt Luca taucht
Pia klettert Die Kinder fahren Der Hund bellt Der Vater kocht Leo liest

2 Wo ist ein Satz zu Ende?
Klopft am Satzende und macht eine kleine Pause.

3 Schreibe die Sätze auf: Nele bastelt.

4 Erweitere die Sätze und schreibe sie auf: Nele bastelt einen Drachen.

Ben liest ein Buch Ich spiele mit der Puppe Kinder besuchen den
Zoo Lea badet im See Mäuse sind klein Tim gibt seinem Bruder
ein Geschenk Lena ist meine beste Freundin Quiesel singt ein Lied

5 Finde die Satzenden und schreibe die Sätze auf.

> **!**
> Aus Wörtern kann man **Sätze** bilden.
> Am Ende des Satzes steht ein **Punkt**: Martin spielt Fußball**.**

– Sätze erkennen und abgrenzen   – MP Fö, KV 133-136, KV 181   – ÜH, Seite 22, 26
– Klangprobe nutzen   – LSW, Übung 8
– Satzschlusszeichen setzen   – KV 28, 29

35

Großschreibung am Satzanfang beachten

Cem hat Geburtstag. Er wird acht Jahre alt. Cem hat sechs
Kinder aus seiner Klasse eingeladen. Sie essen Kuchen und Muffins.
Dann spielen die Freunde im Garten. Alle lachen und haben viel Spaß.

1 Schreibe den Text ab. Beginne jeden Satz in einer neuen Zeile.

2 Markiere die Satzanfänge. Was fällt dir auf?

mein Name ist Lisa, ich bin 7 Jahre alt meine Haare sind lang und
braun, meine Augen sind grün ich esse gern Nudeln, ich spiele gern
Fußball mit meinen Freunden, später möchte ich einmal Torfrau werden,

3 Lies den Text mit einem anderen Kind.
Jeder liest immer einen Satz.

4 Schreibe den Text richtig auf.
Beginne jeden Satz in einer neuen Zeile.
Markiere die Satzanfänge.

5 Vergleiche deinen Text mit einem Partner.

6 Schreibe einen ähnlichen Text über dich.
Übe, deinen Text vorzulesen.
Achte auf die Pause nach dem Punkt.

Tipps für Sätze
- Klopfen
- Punkte setzen
- Satzanfänge groß

! **Das erste Wort in einem Satz schreibt man groß:**
Die Kinder spielen zusammen.

Gemeinsam lernen
→ Seite 40

– Zeichensetzung beachten:
  Punkt
– Satzanfang großschreiben

– MP Fö, KV 137, KV 138

– ÜH, Seite 22, 26
– LSW, Übung 8
– KV 28, 29

Ähnliche Laute unterscheiden: G – K, B – P

- ▪ uchen ▪ ochen ▪ emüse ▪ lein ▪ rün ▪ ind
- ▪ roß ▪ lasse ▪ leid ▪ locke ▪ lettern ▪ las

1 Sprich die Wörter
einmal mit G/g und
einmal mit K/k am Anfang.
Was klingt richtig?

Wie kannst du herausfinden, welcher Buchstabe am Anfang steht?

2 Schreibe die Wörter richtig auf.

- ▪ ruder ▪ insel ▪ aden ▪ ringen ▪ ark ▪ lume
- ▪ iraten ▪ uch ▪ asteln ▪ lakat ▪ all ▪ uppe

3 B/b oder P/p?
Was klingt richtig?

4 Schreibe die Wörter richtig auf.

W

der **B**ruder
das **G**ras
　grün
das **K**ind
　klettern
der **P**ark

　alle
der Ball
die Mutter
　später
　spielen
der Vater

Im Park

Paul und sein Bruder Ben gehen
mit den Eltern in den Park.
Sie treffen einen Freund.
Die Kinder klettern auf einen Baum.
Vater und Mutter schlafen im grünen Gras.
Später spielen alle Ball.
Plötzlich schnappt ein Hund nach dem Ball.
Es ist Taminos Hund Luna.

5 Schreibe den Text ab.
Markiere die Punkte und Satzanfänge.

Abschreiben
→ Seite 17

– ähnliche Laute unterscheiden
– methodisch sinnvoll abschreiben:
　Text mit 35 (47) Wörtern

– MP Fö, KV 47-52
– RS, Seite 7

– ÜH, Seite 11, 23, 24
– LSW, Übung 9
– KV 30, 31

37

Satzgrenzen erkennen

Jonah kocht Emma und Mia
schwimmen Paula kratzt sich
Kim singt Jana hustet Lisa
putzt heute

1 Wähle eine Aufgabe aus:

Schreibe den linken Text ab.
Unterstreiche jeden Satz mit einer anderen Farbe.

Schreibe zu den Bildern im rechten Kasten Sätze auf.
Denke an den Punkt am Satzende.

Überlege, wozu man Satzgrenzen braucht. Schreibe auf.

Satzanfänge großschreiben

Ich bin ich. Und du bist du.
Wenn ich rede, hörst du zu.
Wenn du sprichst, dann bin ich still,
weil ich dich verstehen will.
Wenn du fällst, helfe ich dir auf.
Und du fängst mich, wenn ich lauf.

heute sind Martin und Anja
im Kino gemeinsam naschen
sie Popcorn der Film gefällt
beiden draußen wartet Opa
Peter mit dem Hund vor
dem Kino auf die beiden

2 Wähle eine Aufgabe aus:

Schreibe die Sätze aus der Sprechblase auf.
Markiere die Punkte am Satzende und die Satzanfänge.

Schreibe den Tafeltext richtig auf.

– Sätze erkennen und abgrenzen
– Satzschlusszeichen setzen
– Satzanfänge großschreiben

– MP Fö, KV 133-136, KV 137/138,
  KV 181

– ÜH, Seite 22, 26
– LSW, Übung 8
– KV 28, 29

Verben ergänzen

1 Wähle eine Aufgabe aus:

Was tun die Menschen auf den Bildern links?
Schreibe passende Verben auf.

Worüber sprechen die Kinder? Schreibe die Sätze ab.
Ergänze die fehlenden Verben.

Findest du weitere Verben für **sprechen** und **laufen**?
Sammle und schreibe auf.

Verben erkennen

ich	wir
ich schreibe	wir schreiben
ich koche	wir kochen
ich trinke	wir trinken
ich tanze	wir tanzen

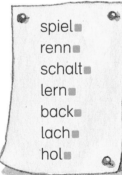

spiel■
renn■
schalt■
lern■
back■
lach■
hol■

2 Wähle eine Aufgabe aus:

Schreibe die Verben von der Tafel ab.
Markiere **ich** und **wir** und **e** und **en** am Ende.

Ergänze die Tabelle mit den Verben vom Plakat.

Ergänze die Tabelle mit eigenen Verben.

– Verben kennen und bestimmen
– Regelmäßigkeiten entdecken
– sprachliche Operationen nutzen

– MP Fö, KV 101-104, KV 111-114,
  KV 172, KV 79-82

– ÜH, Seite 21, 25
– LSW, Übung 7
– KV 25, 26, 27

39

Gemeinsam lernen und darüber sprechen

> Zusammen geht es oft besser als allein.

Gruppe   Lernpartner

Wenn wir zusammen arbeiten, haben wir alle etwas davon.

Zuerst einigen wir uns auf **Regeln** für die Arbeit. Dann überlegen wir:
- **was** wir tun wollen und
- **wie** wir die Aufgabe lösen können.

Wenn wir unsere **Ergebnisse** vergleichen, sprechen wir darüber
- was uns gut gelungen ist und
- was wir beim nächsten Mal anders machen wollen.

---

meine Mutter heißt Tina mein Papa heißt Paul ich habe einen kleinen Bruder Oma Moni wohnt auch bei uns

① Schreibt den Text richtig auf.
② Überlegt euch eine passende Überschrift zu dem Text.

> Wir können uns die Arbeit ja aufteilen.

> Ich möchte …

> Was meinst du?

> Lass Tim mal ausreden.

> Wo sind denn die Punkte?

> Am Satzanfang schreibt man groß.

> Und wie erkenne ich, wo ein Satz anfängt?

① Löst die Aufgabe der Kinder in eurer Gruppe.
- Welche Regeln sollen in der Gruppe gelten? Schreibt sie auf.
- Lest die Aufgaben. Was wollt ihr machen?
- Was muss man wissen, um die Aufgaben zu lösen?

– Arbeitsvorhaben in der Gruppe besprechen
– Anliegen/Konflikte gemeinsam klären

– KV 32, 33

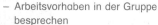

Einen Abschreibtext üben

Wir lesen zusammen den Text.

Dann **einigen** wir uns,
wer mit Schreiben beginnt.
Wenn ich beginne,
diktiert mir mein Partner
ein **Wort** oder einen **Satz**.

> Mit einem Partner kann ich den Abschreibtext als **Partnerdiktat** üben.

Wir **prüfen sofort**,
ob alles richtig ist.
Wenn ein Wort falsch ist,
streiche ich das Wort durch.
Ich schreibe das Wort
noch einmal richtig auf.
Dann wechseln wir.

Das ist Sina.
Sina ist meine Partnerin.
Wir schreiben gern.

1 Übt den Text
als Partnerdiktat.

Wenn ich den Text gelesen habe,
lege ich ihn an einen **entfernten Ort**.
Ich **merke** mir ein paar Wörter
und achte auf schwierige Stellen.

> Allein kann ich den Abschreibtext als **Schleichdiktat** üben.

Dann schleiche ich zu meinem Heft.
Ich **schreibe** auf,
was ich mir gemerkt habe.
Dabei **spreche** ich leise mit.

Ich **prüfe** meinen fertigen Text.
Alles richtig?
Wenn ein Wort falsch ist,
streiche ich das Wort durch.
Ich schreibe das Wort
noch einmal richtig auf.

Ben spielt Indianer.
Er schleicht zu seinem Heft.
Ben schreibt ein Wort auf.

2 Übe den Text
als Schleichdiktat.

– Arbeitstechniken nutzen:
  Übungsformen selbstständig nutzen
– methodisch sinnvoll abschreiben

– ÜH, Seite 27
– KV 34, 35, 36

41

1 Wo können die Kinder ein Abenteuer erleben?

2 Was könnte dort geschehen?

3 Welche Abenteuer hast du schon erlebt?
Wer war dabei?
Warum war das für dich ein Abenteuer?

Auf der linken Seite ...
In der Bildmitte ...
Vor ...
Neben ...
Oben rechts ...
Im Hintergrund ...
Unter ...

– folgerichtig / lebendig sprechen
– persönliche Erlebnisse im
  Gespräch einbringen

– KV 37, 38

 Spielt in eurer Klasse das Abenteuer-Spiel.
- Findet euch zu einer Gruppe zusammen.
- Plant das Spiel und legt die Spielregeln fest.
- Schreibt Ereigniskarten.

Rücke zwei Felder vor.

2 Wie habt ihr zusammen gearbeitet? Was hat gut geklappt?

– sich mit anderen über
  Gruppenarbeit verständigen
– über Lernerfahrungen sprechen

– KV 37, 38

Einen Text planen und schreiben

1. Was macht Hannah?

2. Wie hat sie ihre Gedanken geordnet?

3. Warum fragt Paul nach Bello?

4. Was macht Hannah nach der Frage von Paul?

**Texte planen
und schreiben**

Ideen finden
Notizen machen
Erzählen
Schreiben

5. Plane und schreibe eine eigene Abenteuer-Geschichte. 🧰

6. Was war für dich beim Planen und Schreiben
der Geschichte hilfreich?

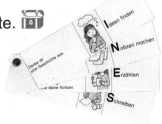

– Planungsmethoden kennen
und nutzen
– Lernerfahrungen auswerten

– MP Fö, KV 157, KV 158

– ÜH, Seite 28
– KV 39

Eine Schreibkonferenz durchführen

Schreibkonferenz
→ Seite 52/53

Tipp

Fehlt etwas Wichtiges?
Passt die Überschrift?

1. Was fehlt bei Pauls Geschichte?

2. Überlegt, wie Paul seine Geschichte verbessern kann.
Schreibt eure Ideen auf.

3. Überarbeitet eure Geschichten
in einer Schreibkonferenz.

4. Präsentiert eure Geschichten. 🧰

Abenteuer-
geschichten-
Buch
Klasse 2

– Methoden der Textüberarbeitung
kennen und nutzen
– konstruktive Rückmeldung geben

– MP Fö, KV 157, KV 158

– ÜH, Seite 35
– KV 40, 49

45

Adjektive kennenlernen

Otto steht
auf einem Weg
vor dem Haus.
In der Hand hält er
eine Tasse Tee
und eine Taschenlampe.
Aus dem Rucksack
schaut ein Lolli.
Er trägt Schuhe,
eine Hose und
einen Mantel.

1 Lies den Text. Kannst du erkennen, welches Bild gemeint ist?

2 Verändere die Sätze so, dass klar ist,
welches Bild gemeint ist.

3 Vergleiche die Bilder. Was ist wie?
Lege eine Tabelle an:

	Bild 1	Bild 2
Weg	schmal	breit

4 Spielt ein Suchspiel: Ein Kind sucht sich ein Bild aus
und sagt einen Satz dazu. Das andere Kind muss erraten,
welches Bild gemeint ist. Wechselt die Rollen.

5 Suche dir eines der Bilder aus.
Schreibe den passenden Text dazu.

!

Adjektive sagen, wie etwas ist:
der **dunkle** Tunnel   Der Tunnel ist **dunkel**.

– sprachliche Operationen nutzen
– Adjektive kennen und bestimmen
– Fachbegriffe verwenden

– MP Fö, KV 115-122, KV 173

– ÜH, Seite 29, 33, 34
– LSW, Übung 10
– KV 41, 42

Mit Sprache experimentieren: Geheimschriften

LieberNils,daswarjaspannend
gesternimTunnel.MitAntjeund
SabinehabeicheinenAbenteuer-
clubgegründet.Bistdudabei?
TreffpunktistderalteBauwagen.
BringdeinenBruderJonasmit.
Otto

FJOF OBDISJDIU BO OJMT:
EBT LFOOXPSU MBVUFU:

TDISFJCF FT BVG FJO
CMBUU VOE
TUFDLF FT JO
EFO CSJFGLBTUFO.
WPO PUUP

Tipp: Der Vorgänger
im Abc ist gesucht.

Hallo otto, das ast oon
gotor Vorschlog.
och froo moch schon sohr.
Jonos kommt ooch mot.
Gobt os oon Konnwort?
Nols

1. Wähle eine Geheimschrift aus. Schreibe die Botschaft auf.

2. Erklärt, wie die Botschaften verschlüsselt wurden.

3. Besprecht, worüber sich Otto und Nils austauschen.

4. Wähle eine Aufgabe aus:

   Schreibe eine Botschaft in der Geheimschrift, die du verwendet hast.

   Schreibe eine Botschaft in einer Geheimschrift,
   die du noch nicht verwendet hast.

   Denke dir eine neue Geheimschrift aus
   und verschlüssle deine Botschaft.

5. Löst gegenseitig eure Botschaften.
   Wie seid ihr vorgegangen?

Gemeinsam lernen
→ Seite 40

⌣ Rechtschreibstrategien verwenden: Schwingen

Wenn du die Wörter in Silben sprichst, kannst du das r besser hören.

1 Schreibt die Wörter auf dem Tisch in Silben auf. Markiert das r. Was fällt euch auf?

2 Schreibe die Wörter von Nils in Silben auf. Markiere das r.

3 Schreibe die Wörter zu den Bildern auf den Karten richtig auf. Kontrolliere mit der Wörterliste.

Arm   warm   Burg   scharf   Korb   vorn   Turm   Sturm   hart

Und was mache ich, wenn das Wort nur eine Silbe hat?

Verlängere, damit du zwei Silben hast.

Zeichne die Silbenbögen ein.

Alles klar?

4 Schreibe die Wörter auf: die Arme – der Arm, ...

5 Zeichne Silbenbögen ein. Markiere das r.

6 Vergleicht eure Ergebnisse.

– Rechtschreibstrategien verwenden
– Wörter strukturieren: Silben
– Lautfolgen unterscheiden

– MP Fö, KV 39/40, KV 182
– RS, Seite 5

– ÜH, Seite 30
– LSW, Übung 11
– KV 44

Großschreibung und Zeichensetzung beachten

im bauwagen machen es sich die kinder richtig gemütlich die mädchen bringen frische blumen mit die jungen kleben bunte bilder und poster an die wand darauf sind ein hamster und ein pferd zu sehen

die Birne
die Kerze
der Korb
spurten
stark
warten

das Abenteuer
beginnen
die Höhle
jetzt
können
wollen

1. Warum ist der Text schwer zu lesen?

2. Lest Satz für Satz abwechselnd.

3. Schreibe den Text richtig auf.
   Markiere, was du verändert hast.

4. Vergleicht eure Ergebnisse.

Abenteuer

Die Kinder wollen gemeinsam ein Abenteuer erleben. Sie treffen sich bei der dunklen Höhle. Alle warten auf den starken Otto. Er sucht seine Taschenlampe. Otto spurtet zu seinen Freunden. Er hat einen Korb dabei. Im Korb sind Kerzen. Jetzt kann das Abenteuer beginnen. Gemeinsam gehen sie in die Höhle hinein.

Abschreiben
→ Seite 17

5. Schreibe den Text ab und zeichne die Silbenbögen ein.

– über Fehlersensibilität verfügen
– methodisch sinnvoll abschreiben:
  Text mit 44 (51) Wörtern

– ÜH, Seite 11, 31, 32
– LSW, Übung 12
– KV 45, 46

49

Adjektive kennen

neugierig   groß   klein   mutig   spitz   stumpf   dick
dünn   alt   neu   schmal   teuer   sauber   dreckig   gerollt
rund   lang   kurz   schwarz   kaputt   weiß   eckig

(1) Wähle eine Aufgabe aus:

Wie sind die Dinge auf dem Bild? Ordne passende Adjektive zu.
Schreibe so: Taschenlampe: groß, lang ...

Finde Dinge, die zu den Adjektiven passen.
Schreibe so: neugierig: Kind, Maus, ...

Suche ein Nomen und finde viele passende Adjektive dazu.

Adjektive verwenden

Die Nacht ist dunkel.
Die Taschenlampe ist grün.
Die Höhle ist kalt.
Das Licht ist hell.
Das Gespenst ist nass.
Die Kinder sehen gut.
Die Maus piepst leise.

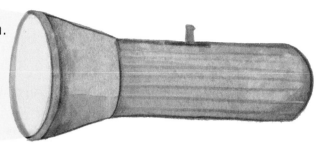

(2) Wähle eine Aufgabe aus:

Schreibe die Sätze auf. Markiere die Adjektive.

Erweitere die Sätze mit passenden Adjektiven.
Schreibe so: Die Nacht ist dunkel und gruselig. ...

Erfinde eigene Sätze mit Adjektiven.

- Adjektive kennen und bestimmen
- passende Adjektive finden
- Adjektive verwenden

– MP Fö, KV 115-122, KV 173

– ÜH, Seite 29, 33, 34
– LSW, Übung 10
– KV 41, 42

Adjektive zuordnen

DAS KIND

DER TURM

DER FROSCH

DAS GESPENST

DER FLUSS

DIE HÖHLE

DER WALD

DIE FLEDERMAUS

DIE GUMMISTIEFEL

DIE TASCHENLAMPE

HOHE

LANGE

MUTIGE

GRÜNE

BLAUE

GRUSELIGE

KLEINE

NEBLIGE

DRECKIGE

DUNKLE

1 Wähle eine Aufgabe aus:

Ordne die Adjektive zu und schreibe so: das dreckige Kind, ...

Finde zu den Nomen eigene Adjektive. Schreibe so: das kluge Kind, ...

Schreibe zu einem der Nomen möglichst viele Adjektive auf:
das dreckige, lustige, kleine Kind, ...

Adjektive erkennen

FERNSEHER   DUNKEL   WASSER   KALT   NEU   TASCHENLAMPE
UNGEHEUER   ALT   DICK   TEUER   WALD   KINDER   HELL   LEISE

2 Wähle eine Aufgabe aus:

Finde die Adjektive und schreibe sie auf.

Erkläre, wie du Adjektive erkennen kannst.

– spielerisch mit Sprache
umgehen
– Adjektive erkennen

– MP Fö, KV 115-122, KV 173

– ÜH, Seite 29, 33, 34
– LSW, Übung 10
– KV 41, 42

51

Eine Schreibkonferenz durchführen

In der Schreibkonferenz machen wir den Text gemeinsam noch besser.

① **Vorlesen**
Ich lese den Text vor
oder alle Kinder lesen den Text selbst.

② **Rückmelden**
Jedes Kind sagt seine Meinung.

③ **Vorschlagen**
Jedes Kind macht Vorschläge
zu dem, was ihm nicht gefällt.

④ **Überarbeiten**
Ich verbessere meinen Text.

Tau ziehen
Tina, Lars und ich gehen
am Fluss entlang. Da sehen wir
plötzlich ein Kanu. Das Kanu hat
ein Loch im Boden. Lars lacht:
„Mit dem alten Ding kann man nichts mehr anfangen!"
Tina fragt: „Warum ist das Boot mit einem dicken Seil
festgemacht?" Dann ziehen wir gemeinsam.
Es bewegt sich etwas. Nun müssen wir die Perlen
und das Gold nur noch nach Hause bringen.

Tipp
Fehlt etwas Wichtiges?
Passt die Überschrift?

(1) Vergleicht den Text und die Schreibtipps. Was meint ihr?

Du musst noch schreiben, was mit dem Seil ist.

Ich finde die Geschichte super!

Die Geschichte ist spannend.

Ich finde gut, dass alle am Seil ziehen.

Eine bessere Überschrift wäre: Das Geheimnis am Seil.

Am Seil könnte ein Riesenkraken hängen.

(2) Was hat den Kindern an der Geschichte gefallen?
Welche Vorschläge haben sie?

(3) Schreibe die Geschichte verbessert auf.

– Texte auf Verständlichkeit
und Wirkung überprüfen
– Überarbeitungsmethoden kennen

– MP Fö, KV 157, KV 158

– KV 47, 48, 49

Vorschläge für Texte erarbeiten

Wir überlegen gemeinsam,
wie ich meinen Text verbessern kann:
Jeder schreibt seine Idee auf,
- wenn etwas Wichtiges fehlt,
- wenn die Reihenfolge geändert wird,
- wenn wir eine bessere Idee suchen,
- wenn ein Wort nicht passt.

> Am Ende entscheide ich aber allein, welche Vorschläge ich übernehme.

Im Bus [x1]

Es ist noch sehr früh. Zuerst zieht sich Paul
seine Jacke an. Dann streift er schnell sein
Hemd über. [x2] Er rennt zum Bus. Überall
kommen die Leute aus dem Haus. Autos
fahren durch die Stadt. An jeder Haltestelle
wird der Bus voller. Noch glühen [x3] die
Straßenlaternen. Es ist nicht mehr weit bis
zur Schule. [x4] Da sieht Paul den Busfahrer.
Er steht neben ihm. Paul ist schweißgebadet.
Die Mittagssonne scheint ihm ins Gesicht.

> Ein Wort passt nicht.

> Für die Überschrift habe ich eine bessere Idee.

> Da stimmt die Reihenfolge nicht.

> Es fehlt etwas Wichtiges.

1 An welchen Stellen im Text
wollen die Kinder den Text verbessern?

2 Sammelt Vorschläge,
wie der Text verbessert werden könnte.

3 Vergleicht eure Vorschläge
und schreibt den Text neu.

– sich über Texte beraten
– Bewertungskriterien anwenden
– Überarbeitungsmethoden nutzen

– MP Fö, KV 157, KV 158

– ÜH, Seite 35
– KV 47, 48, 49

53

1. Was machen die Kinder?
   Erzähle zu den Stationen.

2. Beschreibe, wann du einen Sinn besonders brauchst.

Ich brauche meine Nase,
wenn ...
weil ...
damit ...

– Beobachtungen wiedergeben
– Sprechbeiträge situations-
  angemessen planen

– KV 50

riechen

fühlen

die Ohren

hören

schmecken

sehen

Gebärden-
sprache

Geräusch

laut leise

süß

die Zunge

die Nase

die Haut

1. Mit welchem Sinn haben sich die Kinder beschäftigt?

2. Welche Informationen haben sie aufgeschrieben?

3. Gestaltet ein eigenes Plakat zu einem Sinn.

Plakat und Galerie
→ Seite 64/65

– Beobachtungen wiedergeben
– Sachverhalte beschreiben
– Lernergebnisse präsentieren

– ÜH, Seite 43
– KV 50

Texte nach Mustern schreiben: Sinnesgedicht

Ich sehe viele Kinder.
Ich höre sie lachen und rufen.
Ich fühle das raue Springseil.
Ich rieche frische Luft.
Ich schmecke leckeres Käsebrot.

Ich sehe einen Strand.
Ich höre Wellen rauschen.
Ich fühle warmen Wind.
Ich rieche Sonnenmilch.
Ich schmecke salziges Wasser.

Ich sehe viele Brote.
Ich höre Papiertüten rascheln.
Ich fühle warme Brötchen.
Ich rieche frischen Kaffee.
Ich schmecke süßen Kuchen.

Ich sehe fröhliche Menschen.
Ich höre laute Karussells.
Ich fühle dichtes Gedränge.
Ich rieche frische Bratwurst.
Ich schmecke Zuckerwatte.

1 Wovon handeln die Gedichte?
An welchen Wörtern hast du das erkannt?
Finde zu jedem Gedicht eine Überschrift.

2 Schreibe ein Gedicht ab und unterstreiche, was
in allen Gedichten gleich ist. Was fällt dir auf?

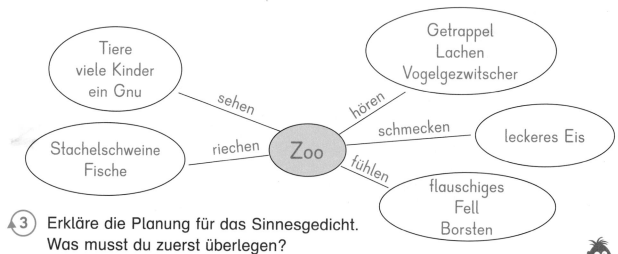

3 Erkläre die Planung für das Sinnesgedicht.
Was musst du zuerst überlegen?

4 Plane und schreibe ein Gedicht zum Thema **Zoo**.
Du kannst dir auch ein anderes Thema ausdenken,
zu dem du ein Gedicht schreibst. 🧰

Schreibideen
→ Seite 100

– sprachliche Mittel und Ideen
sammeln: Textmodelle
– Planungsmethoden nutzen

– MP Fö, KV 159, KV 160

– ÜH, Seite 36
– KV 50, 51

Texte überarbeiten: Sinnesgedicht

Ich sehe einen grauen Elefanten.
Ich höre Löwen laut brüllen.
Ich fühle das weiche Ziegenfell.
Ich rieche frisches Obst im Affenhaus.
Ich schmecke süßes Eis am Kiosk.

Ich sehe graue Gebäude.
Er fühlt weiches Tierfell.
Ich höre den Wind rauschen.
Ich schmecke einen Apfel.
Du singst ein Lied.

1 Vergleiche die beiden Gedichte.
Was fällt dir auf?

2 Welchen Text musst du überarbeiten?
Begründe.

Tipp

Wurde das Schreibmuster eingehalten?
Passen die Sätze zum Thema?

3 Überarbeite dein eigenes Gedicht
in einer Schreibkonferenz.

4 Schreibe weitere Gedichte.

5 Lies deine Gedichte den anderen Kindern vor.
Können sie erraten,
um welches Thema es geht?

Schreibkonferenz
→ Seite 52

– Texte sprachlich optimieren
– Texte auf Verständlichkeit und
  Wirkung überprüfen

– MP Fö, KV 159, KV 160

– ÜH, Seite 36

57

Fragesätze kennenlernen

Der Pullover ist gelb.

Wie sehen die Haare aus?

Welche Farbe hat der Pullover?

Ist es ein Junge?

Trägt das Kind eine Brille?

1 Beantworte die Fragen der Kinder.

2 Schreibe die Fragen und Antworten zusammen auf. Markiere das Fragezeichen.

3 Spielt das Spiel. Welche Fragen könnt ihr stellen?

4 Schreibe Fragen zu den Bildern auf. Stelle die Fragen einem anderen Kind, es soll die Fragen beantworten.

!

Wenn du eine **Frage** stellst, willst du eine Antwort.
Am Ende eines Fragesatzes steht ein **Fragezeichen: ?**
Was machen die Kinder im Sitzkreis?
Kann Paul schnell laufen?

Wer?
Welche?
Warum?
Wie?

– Satzarten erkennen (Frage- und Aussagesatz)
– Satzzeichen setzen

– MP Fö, 139-144

– ÜH, Seite 37, 41
– LSW, Übung 13
– KV 52

Adjektive kennen: Gegensätze

1 Vergleiche die beiden Bilder.
Beschreibe Quiesel.
Verwende passende Adjektive.

| sauer | bunt | traurig | schnell | lang | groß | langsam | fröhlich |
| voll | laut | einfarbig | leer | klein | kurz | süß | leise |

2 Schreibe die Adjektivpaare auf: groß — klein, ...

> Das Wetter ist schlecht. Saubere Kinder spielen im teeren Sandkasten.
> Ein kleines Mädchen sitzt auf der Wiese. Die Jungen schwingen ein kurzes
> Seil. Eine dicke Katze schleicht über die hohe Mauer.

3 Wähle eine Aufgabe aus:

Schreibe alle Adjektive aus dem Text auf.

Schreibe alle Adjektive mit ihrem Gegensatzwort auf.

Schreibe den Text so auf, dass er zum Bild passt.

– Wörter sammeln und ordnen:
  semantische Kriterien
– Wortschatz erweitern

– MP Fö, KV 123, KV 124

– ÜH, Seite 37
– KV 53

59

Rechtschreibstrategien verwenden: Verlängern

Ich höre bei allen Wörtern ein t am Ende.

Verlängere die Wörter. Dann hörst du, ob du t oder d schreiben musst.

1 Schreibe die Wörter mit ihren Verlängerungen auf:
viele Kinder — ein Kind, viele Pakete — ein Paket, ...

Am Ende alles richtig? Verlängern ist hier wichtig.

2 Markiere den Buchstaben, der dir zeigt,
wie das Wort am Ende geschrieben wird.

3 Erkläre, wie du herausbekommst,
ob ein Wort mit d oder t geschrieben wird.

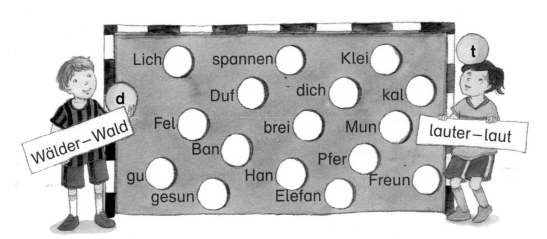

Lich spannen Klei t
Duf dich kal
Fel brei Mun
Ban
gu Han Pfer Freun
gesun Elefan
d Wälder—Wald lauter—laut

4 Setze beim Lesen den fehlenden Buchstaben ein. Was fällt dir auf?

5 Wohin müssen die Kinder die Bälle werfen? Denke an Quiesels Tipp.

6 Schreibe die Wörter mit ihrer Verlängerung auf:
Feld — Felder, kalt — kälter, ...

— Rechtschreibstrategien verwenden
— Prinzip des Verlängerns
kennen und anwenden

— MP Fö, KV 53/54, KV 183
— RS, Seite 9, 10

— ÜH, Seite 38, 42
— LSW, Übung 14
— KV 54, 55

Laute den richtigen Buchstaben zuordnen

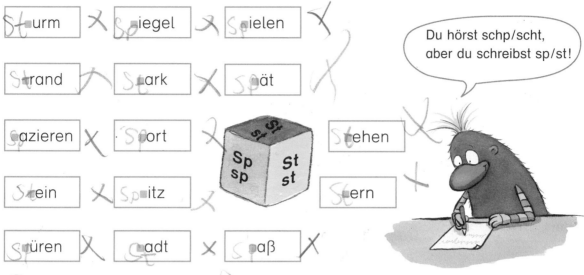

St urm	Sp iegel	Sp ielen
St rand	St ark	sp ät
sp azieren	Sp ort	St ehen
St ein	Sp itz	St ern
sp üren	St adt	Sp aß

> Du hörst schp/scht, aber du schreibst sp/st!

Sp sp — St st

1. Welcher Anlaut passt?

2. Schreibe die Wörter geordnet auf:
   Sp/sp: der Spaß, spät ..., St/st: der Strand, stark ...

3. Schreibe Wortkarten für das Würfelspiel.
   Einigt euch auf Spielregeln.

W

der **Duft**
die **Haut**
der **Mund**
  spitz
  spüren
der **St**urm

das **Ding**
das **Ohr**
  riechen
  schmecken
  sehen
der **Sinn**

Die fünf Sinne

Mit den Ohren können wir den Sturm hören.
Die Augen können schöne Dinge sehen.
Im Mund ist die spitze Zunge.
Damit schmecken wir saure Sachen.
Mit deiner Haut spürst du warme oder kalte Dinge.
Die Nase riecht gern guten Duft.
Jeder Sinn hat andere Aufgaben.
Welcher Sinn ist für dich besonders wichtig?

4. Schreibe den Text ab. Zeichne die Silbenbögen ein
   und markiere die Selbstlaute.

Abschreiben
→ Seite 17

– Rechtschreibgespür anwenden
– methodisch sinnvoll abschreiben:
  Text mit 48 (55) Wörtern

– MP Fö, KV 41-44
– RS, Seite 8

– ÜH, Seite 11, 39, 40
– LSW, Übung 15
– KV 56, 57

61

Fragesätze kennen

Meine Frau verkauft die Backwaren. Ab 6 Uhr ist der Laden geöffnet. Am liebsten esse ich Körnerbrot. Unsere Bäckerei heißt „Dahler Backhäuschen".

Wie viel Mehl braucht man für ein Brot?

Wie früh stehen Sie auf?

Kommen Amerikaner aus Amerika?

Haben Sie auch mal frei?

1 Wähle eine Aufgabe aus:

Schreibe die Fragen an den Bäcker auf. Markiere die Fragezeichen.

Zu welchen Fragen stehen Antworten auf der Tafel? Schreibe sie auf.

Wem möchtest du Fragen stellen? Suche dir jemanden aus und schreibe Fragen auf.

Adjektive: Gegensatzpaare finden

kalt

warm

billig

kurz

dick

teuer

dunkel

hell

alt

laut

leise

lang

dünn

jung

rund
niedrig
freundlich
scharf
höflich
leer
gesund

2 Wähle eine Aufgabe aus:

Welche Adjektivpaare gehören zusammen? Schreibe sie auf.

Finde die fehlenden Gegensätze und schreibe die Adjektivpaare auf.

Gibt es auch Adjektive, zu denen es keinen Gegensatz gibt? Überlege und schreibe auf.

62

– Satzarten erkennen
– Satzzeichen setzen
– Wörter ordnen

– MP Fö, KV 139–144, KV 123/124

– ÜH, Seite 37, 41
– LSW, Übung 13
– KV 52, 53

Rechtschreibstrategien verwenden

ein Kin■ – viele Kinder
ein Pfer■ – viele Pferde
ein Klei■ – viele Kleider
ein Einra■ – viele Einräder
ein Hem■ – viele Hemden

bund/t   Rind/t   rund/t
Bild/t   Land/t   Hand/t
Mund/t   rod/t   Mud/t
Brod/t   Wind/t   Abend/t
gesund/t Flud/t

die Win■mühle
das Bro■messer
die Wel■kugel
der Fahrra■helm
der Bun■stift

1 Wähle eine Aufgabe aus:

Schreibe die Wörter zu den Bildern.
Sprich zuerst die Verlängerungen.
Schreibe dann die Nomen in der Einzahl richtig auf.

Entscheide, ob du bei den Wörtern auf der
blauen Fußspur d oder t einsetzen musst.
Schreibe die Verlängerungen und die Wörter richtig auf.

Schreibe die Wörter auf der grünen Fußspur richtig auf.
Erkläre, wie du vorgegangen bist.

Gemeinsam ein Plakat gestalten

Mein
Plakat
macht
aufmerksam
und
informiert.

Ich möchte, dass ganz viele Leute mein Plakat sehen und neugierig werden. Deshalb

- muss das Plakat groß sein,
- muss man alles gut lesen können,
- muss klar werden, worum es geht,
- muss das Plakat gut aussehen.

Sollen wir hier noch ein Bild aufkleben?

Nimm doch eine kräftige Farbe.

Was soll ich hier schreiben?

Die Überschrift steht schön in der Mitte!

Unsere Sinne

1. Zu welchem Thema wollt ihr ein Plakat erstellen?
   Einigt euch auf ein Thema.

2. Verteilt die Aufgaben:
   - Wer ist verantwortlich für Farben und Material?
   - Wer ist verantwortlich für Wörter, die neugierig machen?
   - Wer ist verantwortlich dafür, dass alles am richtigen Platz ist?

– Lernergebnisse präsentieren
– sich mit anderen über Gruppenarbeit kriterienorientiert verständigen

– ÜH, Seite 43
– KV 58

Lernergebnisse in einer Galerie ausstellen

In der Galerie können wir uns über mein Plakat unterhalten.

In der Galerie könnt ihr euch darüber informieren, wie wir zu einem Thema gearbeitet haben.

Wir möchten gern eure Meinung hören.

Dieses Plakat haben wir zusammen gemacht.

Ich finde es prima!

Ich fülle noch den Fragebogen aus.

Wie bist du auf die Idee gekommen?

Das war so ...

1. Zu welchem Thema wollt ihr eine Galerie machen?

2. Wie wollt ihr die Besucher informieren?

3. Wie wollt ihr die Meinungen der Besucher erfahren?

(1) Suche dir Lernpartner.
Überlegt, zu welchem Bildausschnitt
ihr etwas erzählen wollt.

(2) Erzählt zu eurem Bildausschnitt.
Können die anderen Kinder erkennen,
zu welchem Ausschnitt ihr erzählt?

Tipps für das Erzählen

• Schaut genau hin!
• Macht euch Notizen!
• Überlegt euch eine
  sinnvolle Reihenfolge!

– funktionsangemessen sprechen:
  erzählen
– mit anderen über ein Thema sprechen

Mein Lieblingsplatz ist bei uns im Hof. Dort gibt es einen großen Baum. Sehr schön ist es, wenn die Sonne scheint.

1 ▼ Schreibe etwas
über deinen Lieblingsplatz
in der Natur auf.
Was gefällt dir dort besonders gut? 📷

– funktionsangemessen sprechen:
  argumentieren
– über Gefühle sprechen

Texte schreiben: Steckbrief

Gänseblümchen

Die Blüten sind innen gelb, außen weiß bis rosa.
Sie bilden ein Körbchen.
Die eiförmigen Blätter liegen dicht am Boden und sind nicht am Stängel der Pflanze.
Das Gänseblümchen blüht von Februar bis November.
Die Pflanze wächst auf Weiden, Wiesen, in Gärten und an Wegrändern.

Steckbrief

Name:	**Gänseblümchen**
Blütenfarbe:	innen gelb, außen weiß bis rosa
Blütezeit:	Februar bis November
Blattform:	eiförmig
Lebensraum:	Wiese, Wegränder, Garten

1 Vergleiche die Texte. Was fällt dir auf?

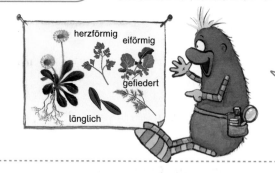

herzförmig
eiförmig
gefiedert
länglich

Mit einem Steckbrief erkenne ich die Blume schneller.

Wiesenschaumkraut

Die Pflanze blüht von April bis Juni.
Die zart violetten Blüten können auch rosa oder weiß sein. Die Blätter der Pflanze sind gefiedert.
Sie sitzen an einem runden, hohlen Stängel.
Das Wiesenschaumkraut findet man auf feuchten Wiesen und an Uferrändern.

Steckbrief
Name
Blütenfarbe
Blütezeit
Blattform
Lebensraum

2 Schreibe den Text über das Wiesenschaumkraut ab.
- Markiere die Wörter, die du im Steckbrief verwenden willst.
- Schreibe einen Steckbrief zum Wiesenschaumkraut.

– verschiedene Sorten von Texten und ihre Funktion kennen
– verständlich / strukturiert schreiben

– MP Fö, KV 83/84, KV 161/162

– ÜH, Seite 44
– KV 60, 61

Texte überarbeiten und präsentieren: Steckbrief

Steckbrief

Name: **Wiesenschaumkraut**
Blütenfarbe: zart violett, rosa, rot
Blütezeit: April
Blattform: herzförmig
Lebensraum: Die Pflanze findet man auf feuchten Wiesen und an Uferrändern.

Steckbrief
Name
Blütenfarbe
Blütezeit
Blattform
Lebensraum

1. An welchen Stellen möchtest du den Steckbrief überarbeiten?

2. Überprüfe deinen Steckbrief vom Wiesenschaumkraut. Schreibe ihn verbessert auf.

3. Zeichne, presse oder fotografiere Pflanzen und schreibe Steckbriefe dazu auf. 📷

4. Lest euch die Steckbriefe gegenseitig vor. Kann man die beschriebene Pflanze herausfinden?

Tipp
- Übersichtlich anordnen!
- Wenige wichtige Wörter verwenden!

Blüte

Blatt

Name: Gundermann
Blütenfarbe: blau, violett
Blütezeit: März
Blattform: herzförmig
Lebensraum: Wegrand, Uferrand

Name: Wiesenkerbel
Blütenfarbe: weiß
Blütezeit: April
Blattform: gefiedert
Lebensraum: Wegränder, Wiese

Gemeinsam lernen
→ Seite 40

− Texte sprachlich optimieren
− Texte zweckmäßig und übersichtlich gestalten
− MP Fö, KV 161, KV 162
− ÜH, Seite 44
− KV 60, 61

69

Wortstamm und Wortfamilien erkennen

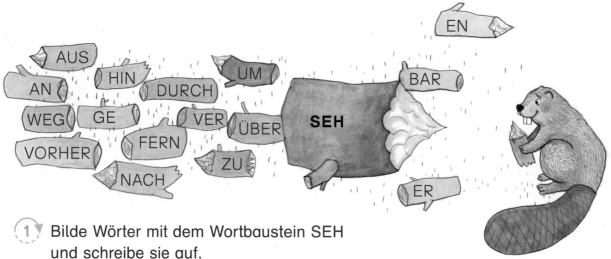

AUS · AN · HIN · WEG · GE · DURCH · UM · VER · ÜBER · FERN · VORHER · ZU · NACH · SEH · EN · BAR · ER

1. Bilde Wörter mit dem Wortbaustein SEH und schreibe sie auf.

2. Markiere bei jedem Wort den Wortteil, der gleich bleibt: ansehen, ...

3. Vergleicht eure Ergebnisse.

---

die Wiesenpflanzen   die Sammlung   verpflanzen   die Fliege
einsammeln   einpflanzen   aufsammeln   wegfliegen
abfliegen   versammeln   gepflanzt   der Fliegenpilz

4. Wähle eine Aufgabe aus:

Schreibe die Wörter nach Wortfamilien geordnet auf.
Markiere den Wortstamm.

Suche zu jeder Wortfamilie weitere Wörter.

Schreibe Wörter zur Wortfamilie LAUF
oder zu einer anderen Wortfamilie auf.

!

Wörter mit demselben **Wortstamm** gehören zu einer **Wortfamilie**:
Fernseher, ansehen, übersehen

– Wörter strukturieren und Möglichkeiten der Wortbildung kennen
– Fachbegriffe verwenden

– MP Fö, KV 59-62, KV 175
– RS, Seite 11

– ÜH, Seite 45, 49
– LSW, Übung 16
– KV 65, 66

Verkleinerungsformen bilden

Ich zeige dir eine große Pflanze.

Ich zeige dir ein kleines Pflänzchen.

---

der Baum das Tor die Katze die Rose der Strauch
der Bach der Käfer der Hund die Blume die Gans

Die Wortbausteine -chen und -lein machen alle Dinge klein.

1 Bilde Sätze wie im Beispiel und sprich sie laut.

2 Schreibe die Wortpaare auf: die Pflanze – das Pflänzchen, ...
Markiere, was sich bei den Wörtern verändert hat.

---

das Blatt der Fuß der Vogel der Wurm die Wolke das Rad die Hand
der Hase der Schnabel das Ohr das Blatt die Hose das Schaf

3 Verkleinere die Wörter mit -chen oder -lein. Schreibe sie auf.

4 Markiere die Buchstaben,
die du bei der Verkleinerung verändern musstest.

!

Die Selbstlaute (Vokale) **a o u** können zu Umlauten **ä ö ü** werden:

die Hand	–	das Händchen
die Rose	–	das Röslein
der Hund	–	das Hündchen

– Möglichkeiten der Wortbildung   – MP Fö, KV 17/18, KV 65/66   – ÜH, Seite 45
    kennen und anwenden
– mit Sprache spielerisch umgehen

71

⚡ Rechtschreibstrategien verwenden: Ableiten

wärmen	zählen
erklären	schädlich
wässrig	die Bälle
die Pläne	die Nächte
ängstlich	die Länder
der Stängel	täglich

klar	der Schaden
warm	die Zahl
der Ball	das Wasser
das Land	die Nacht
die Angst	der Tag
der Plan	die Stange

1 Welche Wörter sind miteinander verwandt?
Schreibe sie zusammen auf. Markiere a und ä.

> Wenn du ein Wort nicht schreiben kannst, dann schau dir die Verwandten an. Das nennt man Ableiten.

die Bäume	der Läufer
die Kräuter	häufig
die Fäuste	die Mäuse
räuchern	die Bäuche
räumen	läuten

der Baum	der Haufen
der Raum	das Kraut
die Maus	der Laut
die Faust	der Bauch
laufen	der Rauch

2 Welche Wörter sind miteinander verwandt?
Schreibe sie zusammen auf. Markiere au und äu.

- -

> aufräumen die Räuber bewässern die Fähre die Schläuche
> ländlich träumen die Häuser lächeln die Läuse die Hände kräftig
> die Käufer ängstlich die Fläche der Schäfer die Zäune schäumen

3 Suche verwandte Wörter mit a oder au. Schreibe die Wortpaare auf.

4 Finde weitere verwandte Wörter mit a – ä oder au – äu.
Kontrolliere mit dem Wörterbuch.

– Rechtschreibstrategien verwenden: Ableiten
– Prinzip der Stammschreibung nutzen

– MP Fö, KV 65–70, KV 184
– RS, Seite 12, 13

– ÜH, Seite 46, 50
– LSW, Übung 17
– KV 62, 63, 64

Laute den richtigen Buchstaben zuordnen

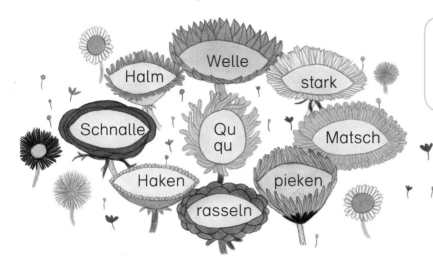

Halm

Welle

stark

Schnalle

Qu
qu

Matsch

Haken

pieken

rasseln

Quiesel macht heut Quatsch. Er trampelt durch den Matsch.

Ich spreche kw, aber ich schreibe qu!

1 Finde Reimwörter mit Qu/qu.

2 Schreibe die Reimpaare so auf: stark – Quark, ...

3 Erfinde kleine Reimgedichte und trage sie vor.

W

ängstlich
der **Qu**atsch
quer
der **Rä**uber
der **Stä**ngel
tr**äu**men

blühen
fahren
gehen
nehmen
der **Platz**
das **Wasser**

In der Natur

Kim und Jule fahren zum Rastplatz. Dort ist ein kleiner Bach. Quer über dem Wasser liegt ein Balken. Die Kinder gehen hinüber. Ängstlich reicht Kim der Freundin die Hand. Am Bach blühen schöne Blumen. Das Wiesenschaumkraut hat lange Stängel. Die Kinder machen Fotos und nehmen einige Blumen mit. Auf dem Weg nach Hause sehen Kim und Jule ein Kaninchen.

4 Schreibe den Text als Schleichdiktat.

5 Unterstreiche alle Wörter mit ä und äu.
Schreibe sie mit den Verwandten auf.

Schleichdiktat
→ Seite 41

– über Fehlersensibilität verfügen | – MP Fö, KV 45, KV 46 | – ÜH, Seite 27, 47, 48
– methodisch sinnvoll abschreiben: | | – LSW, Übung 18
  Text mit 51 (62) Wörtern | | – KV 67, 68

73

Wortstamm und Wortfamilie kennen

versprechen besprechen sprechen

Besprechung ansprechen Sprecher

Versprecher absprechen

GEH
RENN
RUF
SCHWIMM
FAHR

1 Wähle eine Aufgabe aus:

↻ Schreibe die Wörter auf den Brettern auf. Markiere den Wortstamm.

↺ Bilde Wörter mit einem der Wortbausteine rechts. Schreibe sie auf.

↺ Bilde eigene Wortfamilien und schreibe sie auf.

Wortfamilien zuordnen

Beifahrer bewohnen Fahrt begehbar abgefahren
Wohnung umgehen fahren unbewohnt
Wohnzimmer untergehen Fahrzeug Gehweg

A abfahren
B befahrbar
C Chaosfahrt
D ...

2 Wähle eine Aufgabe aus:

↻ Schreibe die Wörter nach Wortfamilien geordnet auf.

↺ Finde weitere Wörter zu den Wortfamilien.

↺ Schreibe ein Abc mit der Wortfamilie FAHR.

– Wörter strukturieren und Möglichkeiten der Wortbildung kennen
– Wörter ordnen

– MP Fö, KV 59-62, KV 175
– RS, Seite 11

– ÜH, Seite 45, 49
– LSW, Übung 16
– KV 65, 66

Verkleinerungsformen zuordnen

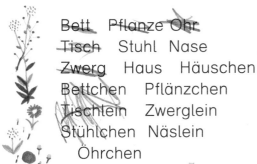

Bett Pflanze Ohr
Tisch Stuhl Nase
Zwerg Haus Häuschen
Bettchen Pflänzchen
Tischlein Zwerglein
Stühlchen Näslein
Öhrchen

Straße Rose Kuchen
Rad Mappe Stift
Buch Bär Puppe
Gabel Messer Glas
Ast Wurm Blume

1 Wähle eine Aufgabe aus:

↳ Finde die Wortpaare auf der Wiese.
Schreibe so: das Bett — das Bettchen, ...

↻ Verkleinere die Wörter auf dem Stein mit -chen und -lein
und schreibe sie auf.

↺ Finde Nomen, die man nicht verkleinern kann, und schreibe sie auf.

- -

⚡ Rechtschreibstrategien verwenden: Ableiten

Ball Kraut laufen
Zaun Hand Bälle
Hände Zäune
Kräuter Läufer

Gläser Nächte
Sträucher Mäuse
Bäuche Ställe
Säfte Räume
Häuser Äpfel

häufig
läuten
zärtlich
schwärmen
Säugetier
unerträglich
Fäulnis

2 Wähle eine Aufgabe aus:

↳ Ordne die Wortpaare auf dem Schild zu.
Schreibe so: der Ball — die Bälle, ...

↻ Finde zu den Wörtern auf der Wolke
ein verwandtes Wort mit a oder au.

↺ Finde zu den Wörtern am Baum verwandte Wörter mit a oder au.

– Möglichkeiten der Wortbildung kennen und anwenden	– MP Fö, KV 17/18, KV 65–70, KV 184	– ÜH, Seite 45, 46, 50
– Rechtschreibstrategien verwenden	– RS, Seite 12, 13	– LSW, Übung 17
		– KV 62, 63, 64

75

Wichtige Informationen in Texten finden

Im Text finde ich Informationen zu meinen Fragen.

Zuerst lese ich den ganzen Text.

Wenn ich etwas nicht verstanden habe, schlage ich nach oder frage jemanden.

Ich schreibe die Wörter oder Sätze auf, die meine Fragen beantworten.

Die Brennnessel

Die Brennnessel wächst fast überall, an Zäunen,

Häusern und im Wald. Sie wird bis zu 1,50 Meter hoch.

Die Blätter sind herzförmig. Sie haben einen Rand

wie eine Säge. Auf den Blättern sitzen Brennhaare,

die schon bei der geringsten Berührung abbrechen.

An den Stellen läuft Ameisensäure aus.

Wenn diese Flüssigkeit auf die Haut kommt,

juckt es und es kommt zu einem brennenden Schmerz.

Die Brennnessel blüht zwischen Juni und Oktober.

Man kann aus Brennnesseln auch Tee oder Suppe kochen.

Wie hoch können Brennnesseln werden?

Warum heißt die Brennnessel Brennnessel?

(1) Lies den Text und beantworte die beiden Fragen.

(2) Markiere die Antworten im Text, indem du Streichhölzer unter die wichtigen Wörter legst. Schreibe deine Antworten auf.

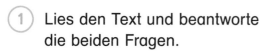

– in Texten gezielt Informationen finden und wiedergeben
– Texte genau lesen

– ÜH, Seite 51
– KV 69

Sich gegenseitig beim Lernen helfen

Wir helfen uns beim Lernen.

Wenn ich eine Frage habe
oder beim Lernen nicht weiterweiß,
bitte ich ein anderes Kind,
mir zu helfen.

Jeder kennt sich mit etwas
besonders gut aus.
Manche Kinder sind richtige Experten
und können anderen helfen.

Oder man sucht gemeinsam
nach einer Lösung.

Was ist Ameisensäure?

Bei den Ameisen gibt es das.
Unser Förster weiß das genau.
Wir fragen ihn.

Oder wir schauen hier in das Lexikon.

1. Was möchte das Mädchen wissen?

2. Wie wollen ihm die anderen Kinder helfen?

3. Wie ist das bei euch in der Klasse?
   - Wer hilft dir?
   - Wem hilfst du?
   - Wie helft ihr euch?

www
world
wide
web

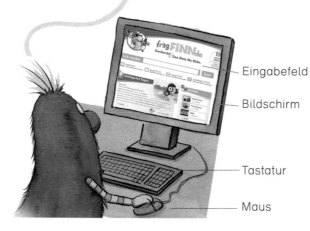

Eingabefeld

Bildschirm

Tastatur

Maus

- Suchbegriff eingeben, dann auf „Suchen" klicken.
- Ergebnisse ansehen, langsam den Scrollbalken nach unten ziehen.
- Um eine Seite mit dem Ergebnis genau anzuschauen, einfach anklicken.

1 Was machen die Kinder am Computer?

2 Was weißt du über das Internet?

3 Wie kannst du etwas über Kinder in anderen Ländern erfahren? Probiert es aus. Quiesel kann euch helfen.

Ich gebe ein:
Kinderspiele
in aller Welt.

Diese Spiele
gefallen mir gut.
Am besten drucken
wir sie aus.

Ki

Gib mir den Ball!
Spiel aus Südafrika

Blada
Spiel aus Kenia

Hinderniswettlauf
Spiel aus Tschechien

So heißt
das Spiel:

(1) Worüber haben sich die Kinder im Internet informiert?

(2) Sucht im Internet nach Kinderspielen
in anderen Ländern.

Das müssen
wir vorher
machen:

So geht
das Spiel:

(3) Probiert die Spiele in Gruppen aus.

Das
brauchen
wir:

(4) Wählt ein Spiel aus und erklärt es der Klasse.

Texte planen: Informationen verstehen und ordnen

(1) Wie spielt man das Spiel? Erzählt.

(2) Probiert das Spiel aus. Worauf müsst ihr achten?

Das müssen wir vorher machen:

> Von dort aus misst es 5 Schritte ab.

> Der Gewinner darf alle Murmeln behalten.

So geht das Spiel:

> Wer das Loch trifft, ist der Gewinner.

> Nacheinander versuchen alle, mit einer Murmel das Loch zu treffen.

> Gewinner spielen gegen Gewinner, bis nur noch einer übrig ist.

> Ein Kind drückt ein Loch in den Sand.

> Dort zieht das Kind im Sand eine Linie.

(3) Ordne die Sätze den Karten zu.
Achte auf die richtige Reihenfolge der Sätze.
Schreibe die Spielekarten auf.

80

– Verwertungszusammenhang klären
– verständlich / strukturiert schreiben:
   Sachverhalt (Spielanleitung)

– MP Fö, KV 163, KV 164

– ÜH, Seite 52
– KV 73, 74

Texte schreiben: Spielanleitung

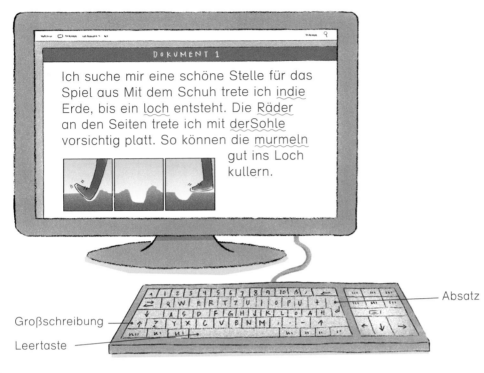

DOKUMENT 1

Ich suche mir eine schöne Stelle für das Spiel aus Mit dem Schuh trete ich indie Erde, bis ein loch entsteht. Die Räder an den Seiten trete ich mit derSohle vorsichtig platt. So können die murmeln gut ins Loch kullern.

Absatz

Großschreibung

Leertaste

Am Computer schreiben
→ Seite 88

1 Wie kannst du mit dem Computer deinen Text richtig aufschreiben?
Was musst du verbessern?
Welche Tasten musst du dazu verwenden?
Überarbeite den Text.

2 Für welche Spiele möchtet ihr eine Spielanleitung schreiben?
Macht Vorschläge und einigt euch auf die Spiele.

3 Wie möchtet ihr eure Spiele vorstellen?
Wie wollt ihr eure Spielregeln gestalten?

Verschiedene Sprachen entdecken

dzien dobry
Добрый ДеН
bonjour
buenos días
goedendag
iyi günler
Hello
Guten Tag

1 In welchen Sprachen begrüßen die Kinder ihre Gäste?
Sucht Experten, die euch die Wörter vorsprechen.
Malt zu den Begrüßungswörtern die passende Fahne.

Hey, hello, bonjour, guten Tag.
Welcome, welcome, welcome, welcome.
Buenos días, buenos días!

2 Singt das Lied. Welche Sprachen findet ihr?

Merhaba, ben Ayhan istanbul degilim.

Ik ben Julia.
Ik ben blij om hier te ziin.

Sono Maria.
Vengo dall'Italia.

Das ist ein schönes Fest! Ich heiße Tim.

3 Was sagen die Kinder? Woran hast du das erkannt?

4 Schreibe eine Übersetzung auf. Wer kann dir helfen?

– Gemeinsamkeiten und Unterschiede
von Sprachen erkennen
– andere Sprachen / Schriften erkennen

Verben erkennen: Personalformen

spielen   zaubern   lachen   klettern   malen

1 Was machen die Menschen?

2 Was bleibt bei den Verben gleich?
Was ändert sich?

3 Zeichne die Tabelle in dein Heft und trage die Verben
aus dem Kasten ein. Markiere die Endungen.

ich	du	er, sie, es	wir	ihr	sie

4 Ergänze die Tabelle mit den anderen Verben.
Vergleiche die Endungen und die Personen. Was fällt dir auf?

– Möglichkeiten der Wortbildung
  kennen und anwenden
– Regelmäßigkeiten entdecken

– MP Fö, KV 105-110, KV 176

– ÜH, Seite 53, 57
– LSW, Übung 19
– KV 75, 76, 77

83

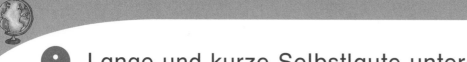

Lange und kurze Selbstlaute unterscheiden

Hase

Hose

Hund

Hund

Hund

Oma Hund
Gabel Saft
Apfel Tor

Ente Welt
Tafel Brot
Nase Gras
Kuchen Fest

Wörter mit
langem
Selbstlaut

Wörter mit
kurzem
Selbstlaut

(1) Wonach unterscheiden die Kinder die Wörter?

(2) Wie finden die Kinder heraus, welches Wort einen langen
und welches einen kurzen Selbstlaut hat?

(3) Schreibe die Wörter auf, zuerst die mit dem kurzen Selbstlaut.
Setze unter die kurzen Selbstlaute einen Punkt: Hund
Setze unter die langen Selbstlaute einen Strich: Hase

Armprobe
Sprich das Wort einmal deutlich
mit langem Vokal: Hase
Sprich das Wort einmal deutlich
mit kurzem Vokal: Hose

lang

kurz

Maler Mantel Milch Knete Palme Hand Rad Ofen Bluse Hose
Opa Ast Holz Feder Wald Rad Onkel Finger Wagen Hemd Hut

(4) Schreibe die Wörter auf. Markiere die Selbstlaute: Maler, Mantel ...

– Rechtschreibstrategien verwenden:
   Vokallänge prüfen
– lange / kurze Vokale unterscheiden

– MP Fö, KV 23, KV 24, KV 185
– RS, Seite 14

– ÜH, Seite 54, 58
– LSW, Übung 20
– KV 78

Silben genau untersuchen

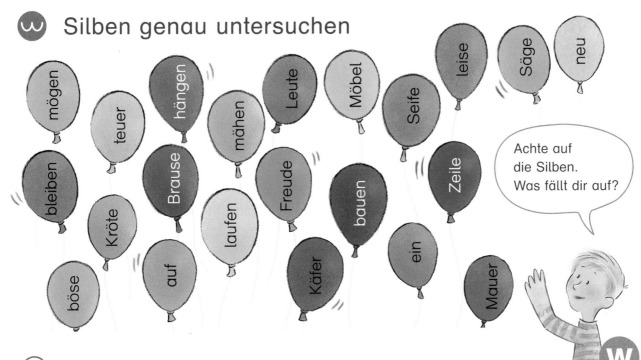

mögen · teuer · hängen · mähen · Leute · Möbel · Seife · leise · Säge · neu · bleiben · Brause · Freude · bauen · Zeile · Kröte · laufen · böse · auf · Käfer · ein · Mauer

Achte auf die Silben. Was fällt dir auf?

1 Schreibe die Wörter mit au, eu, ei, ä, ö, ü mit Silbenbögen auf.

2 Markiere in jeder Silbe die Selbstlaute, Umlaute und Zwielaute.

die **Anleitung**
  begrüßen
  hören
die **Leute**
das **Mädchen**
  mögen

  besonders
der **Computer**
  erklären
  ganz
  überall
  von

Freunde auf der ganzen Welt

Wir machen ein Fest auf dem Schulhof.
Es sind ganz viele Leute von überall
auf der Erde zu Besuch. Wir spielen Spiele
aus vielen Ländern. Marie begrüßen wir
besonders. Sie ist ein Mädchen aus Mauritius.
Sie spielt gern Domino. Esma erklärt uns
das Murmel-Spiel. Die Spielanleitung hat sie
mit dem Computer geschrieben. Neben dem Text
hat sie mit der Maus noch Bilder eingefügt.

3 Schreibe den Text ab.
Markiere die Wörter aus dem Wörterkasten.

Abschreiben
→ Seite 17

– Silbenschwingen anwenden
– methodisch sinnvoll abschreiben:
  Text mit 57 (68) Wörtern

– MP Fö, KV 15-18
– RS, Seite 4

– ÜH, Seite 11, 55, 56
– LSW, Übung 21
– KV 79, 80

85

Verben erkennen: Personalformen

koche	bringst	rennt

packen	kauft	tragen

ich	er	wir
du	sie	ihr
	es	sie

Tina und Paula ███. „Wohin ███ du, Tina?" „Ich ███ nach Amerika", ruft Paula. Tom ███ an ihnen vorbei. Die Mädchen lachen: „Wir ███ nach Amerika!" Tom antwortet: „Ihr ███ nach Amerika? Ihr spinnt!"

1 Wähle eine Aufgabe aus:

⟳ Welche Pronomen passen zu den Verbkarten? Schreibe so:
ich koche, du …

⟲ Suche dir ein Verb aus. Verändere es so,
dass es zu jedem Pronomen passt. Schreibe auf.

◯ Welches Verb passt in allen Sätzen? Schreibe den Text auf.

ω Rechtschreibstrategien verwenden: Schwingen

Marlon reist mit seinen Eltern durch Afrika. Mit einem Auto fährt er durch einen schönen Park. Überall sind Äffchen. Marlon ist nicht ängstlich.

Br⬤⬤tkl⬤⬤d   ⬤⬤g⬤n⬤rzt
M⬤hr⬤ns⬤l⬤t   b⬤gr⬤ß⬤n
C⬤mp⬤t⬤rm⬤⬤s   F⬤⬤⬤rw⬤hr
Fr⬤⬤ndsch⬤ftsb⬤nd⬤r

eue   äe   eie   auo   aue   ei   üaa   eüe   öe   üi

2 Wähle eine Aufgabe aus:

⟳ Schreibe den linken Text ab. Ergänze die Silbenbögen.

⟲ Ergänze die fehlenden Buchstaben in den rechten Wörtern.

◯ Finde Wörter zu den vorgegebenen Buchstaben.

– Möglichkeiten der Wortbildung kennen und anwenden
– Rechtschreibstrategien verwenden

– MP Fö, KV 15-18, KV 105-110, KV 176
– RS, Seite 4

– ÜH, Seite 53, 55, 57
– LSW, Übung 19
– KV 75-77, 79

Rechtschreibstrategien verwenden

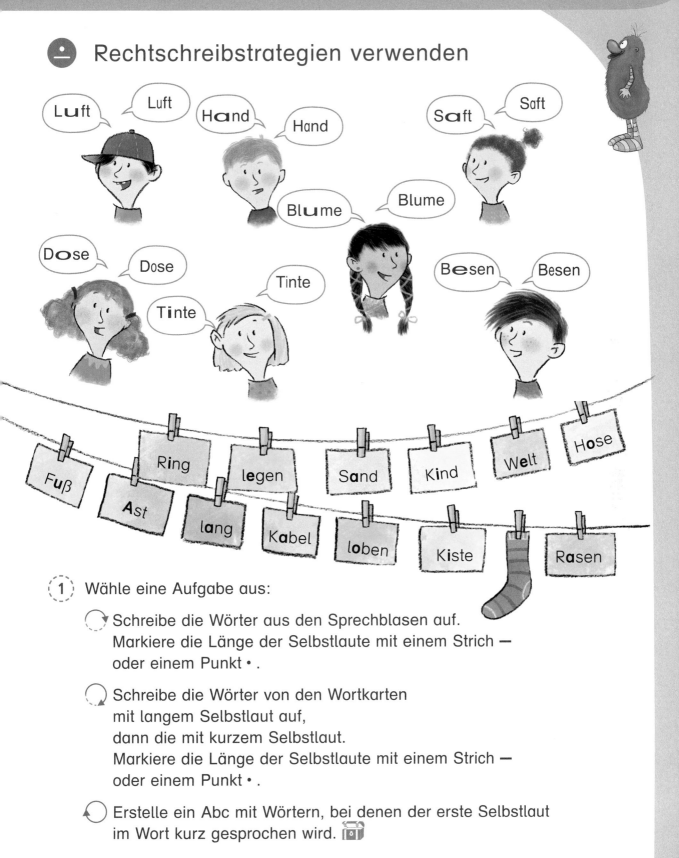

1 Wähle eine Aufgabe aus:

⟳ Schreibe die Wörter aus den Sprechblasen auf.
Markiere die Länge der Selbstlaute mit einem Strich —
oder einem Punkt • .

⟳ Schreibe die Wörter von den Wortkarten
mit langem Selbstlaut auf,
dann die mit kurzem Selbstlaut.
Markiere die Länge der Selbstlaute mit einem Strich —
oder einem Punkt • .

⟳ Erstelle ein Abc mit Wörtern, bei denen der erste Selbstlaut
im Wort kurz gesprochen wird.

– Rechtschreibstrategien verwenden: | – MP Fö, KV 23, KV 24 | – ÜH, Seite 54, 58
Vokallänge prüfen | – RS, Seite 14 | – LSW, Übung 20
– lange / kurze Vokale unterscheiden | | – KV 78

87

Texte am Computer schreiben und gestalten

Meine Texte kann ich mit dem Computer schreiben.

Mit dem Computer kann ich meinen Text ganz einfach verändern:

- in Großbuchstaben und Kleinbuchstaben schreiben
- Lücken einhalten
- in der nächsten Zeile weiterschreiben
- Fehler korrigieren

Großbuchstaben
der Computer

Pfeil und Buchstaben gleichzeitig drücken

Lücken
Wortgrenzen einhalten

Leertaste drücken

Absatz
Nun beginne ich eine neue Zeile.

Entertaste drücken

Korrigieren
der Computa

Korrekturtaste drücken und neu schreiben

Auf dem Spielplatz sind viele Kinder.
Die mädchen rutschen auf der rutschbahn
oder fahren auf dem karussell.
DieJungenspielenalleFußball.
Ralfs Elefant liegt in der Ecke
und träumt von einem Knochen.

1. Schreibe den Text am Computer. Korrigiere die Fehler.
Schreibe jeden Satz in eine Zeile. Ersetze das unterstrichene Wort.

– PC zum Schreiben verwenden
und für Textgestaltung nutzen
– Rechtschreibhilfen des PC nutzen

– KV 81

Ein Gedicht vortragen

Wenn ich ein Gedicht vortrage wie ein Dichter, hören die anderen Kinder mir gern zu.

Ich spreche mir das Gedicht mehrmals laut vor.

Ich höre, an welchen Stellen ich
• laut oder leise,
• schnell oder langsam,
• mit oder ohne Pause spreche.

Ich unterstreiche und merke mir die Wörter, die ich besonders betonen will.

Maler Frühling

Der Frühling ist ein Maler,
——— / > //
er malte alles an,

die Berge mit den Wäldern,

die Täler mit den Feldern:

Was der doch malen kann!

Hoffmann von Fallersleben

Hilfen zum Vortragen

/   kurze Pause
//   lange Pause
∿   schnelles Sprechen
__   langsames Sprechen
>   lautes Sprechen
<   leises Sprechen

(1) Schreibe das Gedicht ab. Schreibe nur in jede zweite Zeile.

(2) Überlege, welche Hilfen du brauchst, und zeichne sie in die Zeilen.

(3) Übe, das Gedicht vorzutragen.

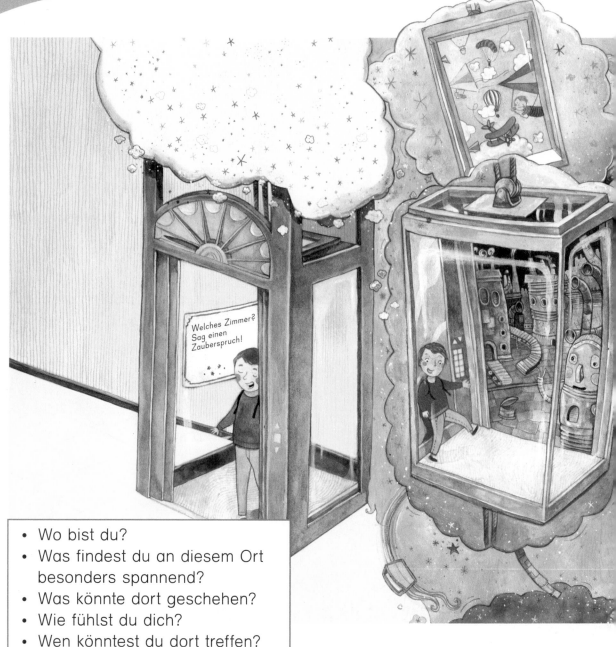

- Wo bist du?
- Was findest du an diesem Ort besonders spannend?
- Was könnte dort geschehen?
- Wie fühlst du dich?
- Wen könntest du dort treffen?

1 Warum will der Junge in den Fahrstuhl?

2 Was muss er tun,
um in die verschiedenen Zimmer zu kommen?

3 Stelle dir vor, du bist das Kind.
Erzähle, was du erleben kannst.

– funktionsangemessen sprechen:
  erzählen
– Sprechbeiträge planen

Hokuspokus
Sternenschimmer
fahre mich
zum Wasserzimmer.

1 In welches Zimmer
führt dieser Zauberspruch?

2 Erfinde Zaubersprüche für verschiedene Zimmer
und schreibe sie auf. Trage sie vor.

– Beobachtungen wiedergeben
– mit Sprache experimentell
und spielerisch umgehen

Texte planen und schreiben

seltsamen Fahrstuhl entdeckt

Fahrstuhltür öffnet sich im Urwald

Ich treffe noch ein anderes Kind.

Zauberspruch aus-denken und sagen

1. seltsamen Fahrstuhl entdeckt

2. Zauberspruch aus-denken und sagen

3. Fahrstuhltür öffnet sich im Urwald

4. Ich treffe noch ein anderes Kind.

Die Fahrstuhltür öffnet sich im Urwald ...

1 Wie denkt sich Luisa ihre Geschichte aus?

nur wichtige Wörter sammeln

gleich aufschreiben

ein Bild malen

Geschichte als Film vorstellen

2 Wie kann man noch Ideen für eine Geschichte sammeln?

3 Plane eine eigene Geschichte mit dem magischen Fahrstuhl.

4 Schreibe deine Geschichte auf.

– Planungs- und Schreibhilfen nutzen
– Ideen sammeln und ordnen
– eigene Schreibideen entwickeln

– KV 39

Einleitung einer Geschichte erkennen

Der magische Aufzug

Neben der Schule war
der Aufzug.
Plötzlich öffnete sich
die Tür.

Der magische Aufzug

Gestern entdeckten meine
beste Freundin und ich
einen seltsamen Aufzug.
Der Aufzug ist neben
unserer Schule. Plötzlich
öffnete sich die Tür.

Der magische Aufzug

Meine beste Freundin
und ich gehen
in die gleiche Klasse.
Der Aufzug ist neben
unserer Schule.

(1) Welche Einleitungen sind
gelungen?
Beachte Quiesels Tipps.

(2) Überprüft eure Einleitungen.

(3) Überarbeitet eure Geschichten
in einer Schreibkonferenz.

Den Anfang einer Geschichte
nennt man **Einleitung**.

Tipps für die Einleitung
Überschrift
Wer ist dabei?
Wo geschieht es?
Wann geschieht es?
Was passiert?

 Tipp

Passt die Überschrift?
Hast du passende Wörter verwendet?

– Texte an der Schreibaufgabe
  kriterienorientiert überprüfen
– Texte sprachlich optimieren

– MP Fö, KV 165/166

– ÜH, Seite 60
– KV 83

93

Satzglieder kennenlernen

den Knopf.

drückt

Ben

Vergiss bei der Frage das ? nicht. Schreibe die Satzanfänge groß!

(1) Schreibt die Wortkarten. Probiert aus, wie ihr euch mit den Karten umstellen könnt.

(2) Lest die Sätze vor.

Roboter Mailo	wohnt	im Eisenzimmer

Leo Löwe	begrüßt	den Jungen

(3) Stelle die Sätze so oft wie möglich um und schreibe sie auf. Markiere die Satzglieder.

Ben	fährt	im magischen Fahrstuhl	nach oben

(4) Bilde Sätze und schreibe sie auf.

(5) Findest du Sätze mit mehr als vier Satzgliedern? Schreibe sie auf. 🗃

!

Die Teile eines Satzes nennt man **Satzglieder**. Man kann sie umstellen:
Der Junge   schaut   in das geheimnisvolle Zimmer.
In das geheimnisvolle Zimmer   schaut   der Junge.
Schaut   der Junge   in das geheimnisvolle Zimmer?

– sprachliche Operationen nutzen: umstellen
– mit Sprache experimentieren
– MP Fö, KV 149/150, KV 178
– KV 84

Zusammengesetzte Nomen verwenden

Ben hat sich mit Greta verabredet.
Greta sagt: „Wir treffen uns im Zimmer."
Er steigt in den magischen Aufzug
und landet im Wasserzimmer.
Er kann Greta leider nicht finden.
Ben geht weiter in das Bücherzimmer.
Auch hier kann er Greta nirgendwo fin-
den. Nachdem Ben im Luftzimmer
und im Eisenzimmer war, findet er
Greta endlich im Urwaldzimmer.

1 Warum hat Ben Schwierigkeiten, Greta zu finden?

2 In welchen Zimmern hat Ben nach Greta gesucht? Schreibe sie auf.

BÜCHER	REGAL	TÜTEN	SUPPE	TREPPEN
STUFE	KÜCHEN	LAMPE	SCHWERT	FISCH
BILDER	RAHMEN	KELLER	RAUM	PUPPEN
HAUS	REGEN	WURM	SEIFEN	SCHALE

3 Wähle eine Aufgabe aus:

◯ Bilde zusammengesetzte Nomen und schreibe sie auf.

◯ Bilde möglichst viele zusammengesetzte Nomen mit KELLER. 📦

◯ Erfinde zusammengesetzte Nomen,
   die aus drei oder mehr Nomen bestehen.

!

Nomen kann man zusammensetzen.
Mit zusammengesetzten Nomen kann man sich genauer ausdrücken:
der Urwald + das Zimmer → das Urwaldzimmer

– Möglichkeiten der Wortbildung
  kennen und nutzen
– Komposita erkennen und bilden

– MP Fö, KV 99/100, KV 177

– ÜH, Seite 61, 65
– LSW, Übung 22

95

Rechtschreibstrategien verwenden

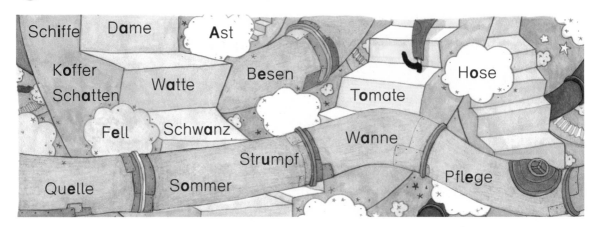

Schiffe Dame Ast
Koffer Watte Besen Hose
Schatten Tomate
Fell Schwanz Wanne
Strumpf
Quelle Sommer Pflege

1 Schreibe die Wörter mit kurzem Selbstlaut auf.
Wie viele Mitlaute hörst du nach dem Selbstlaut?

2 Bei welchen Wörtern hörst du nur einen Mitlaut
nach dem kurzen Selbstlaut? Unterstreiche diese Wörter.

> Bei Schiffe höre ich ein kurzes i
> und danach nur einen Mitlaut: das f.
> Also muss ich das f
> beim Schreiben verdoppeln.

Kara■e Gira■e A■e Sa■t schu■ten scha■en
Wa■el verkra■ten Li■t Lu■t Ko■er du■ten

3 Welche Wörter sind hier gesucht? Setze in die Wörter f oder ff ein.

4 Schreibe die Wörter auf.

Nach einem **kurzen Selbstlaut**
kommen mehrere Mitlaute: Junge, Wasser
Hörst du nach einem kurzen Selbstlaut nur einen Mitlaut,
musst du ihn **verdoppeln**: Futter, Zimmer

Rechtschreibstrategie verwenden: Verlängern

Zwer■   Hun■   Han■   Lan■   Agen■   Experimen■

Verbo■   Schran■   Fabri■   Musi■   Auftra■   Sta■

Ta■   Wan■   Mikrosko■   Horosko■   Gra■   Kor■

Stau■   Zwei■   Umschla■

1 Verlängere die Wörter und setze die richtigen Buchstaben ein.
Schreibe so:
die Zwerge → der Zwerg, ...

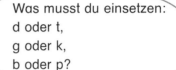

Was musst du einsetzen:
d oder t,
g oder k,
b oder p?

der **Aff**e
das **Fell**
das **Land**
die **Quell**e
der **Staub**
das **Zimm**er

drücken
die **Fantasie**
der **Fahrstuhl**
ihn
neugierig
das **Stockwerk**

Im Land der Fantasie

Tim hat neben der Schule einen magischen
Fahrstuhl voller Staub entdeckt. Neugierig drückt
er den Knopf und sagt einen langen Zauberspruch.
Der Fahrstuhl bringt ihn lautlos in ein Stockwerk
mit vielen Zimmern.
Aus einem Zimmer schaut ein Affe mit dunklem Fell.
Im Wasserzimmer sprudelt eine Quelle.
In einem Rutschenzimmer sind viele Kinder.
Einfach fantastisch dieser Fahrstuhl!
Tim freut sich schon auf die nächste Fahrt.

2 Schreibe den Text ab
und markiere die doppelten Mitlaute.

Abschreiben
→ Seite 17

– Rechtschreibstrategien verwenden
– methodisch sinnvoll abschreiben:
  Text mit 60 (68) Wörtern

– MP Fö, KV 53-58
– RS, Seite 9, 10

– ÜH, Seite 11, 63, 64
– LSW, Übung 23, 24
– KV 85/86, 88/89

97

Rechtschreibstrategien verwenden

Kiste   Runde
Heft   Wurm   Hase
Ast   Wald   Dose
Kind   Saft   Wand

a e i o u

Schlange bunt
alt melden bald
Hemd Burg Stift
Trank Schrank
Hund Name
Besen Brot

1 Wähle eine Aufgabe aus:

Schreibe die Wörter mit kurzem Selbstlaut aus dem Kasten auf.

Schreibe die Wörter mit kurzem Selbstlaut aus der Kiste auf.

Schreibe zu den kurzen Selbstlauten im Rohr Wörter auf.

Rechtschreibstrategien verwenden

kommen   wollen   Hund
hell   rennen   satt   Bitte
Fell Geld   Tunnel   Besen

Supe   Sone   Brunen   Zetel   Schif   Bett   Billder
Hunnde   schnel   Strannd   Bärr   bunnt   Honnig   kletern

2 Wähle eine Aufgabe aus:

Schreibe die Wörter aus der Steppe mit doppeltem Mitlaut auf.

Bei welchen Bildern auf den Büchern hörst du
nach kurzem Selbstlaut nur einen Mitlaut? Schreibe die Wörter auf.

Schreibe die Wörter im Wasser richtig auf.

– Rechtschreibstrategien verwenden: – MP Fö, KV 25-32   – ÜH, Seite 62, 66
  Vokallänge prüfen   – RS, Seite 15, 16   – KV 87
– lange / kurze Vokale unterscheiden

↪ Rechtschreibstrategien verwenden

| die Kleider | die Hunde | die Welten | die Elefanten |

| die Zweige | die Bänke | die Geschenke | die Diebe |

| die Mikroskope | die Lumpen | die Wege | die Kälber |

Sieb/p

Parg/k

Kind/t

Zweg/k

Zeld/t

Pferd/t

Einrad/t

Zug/k

Held/t

starg/k

kald/t

Kleid/t

plumb/p

rund/t

Ein toller Tak
Max und sein Hunt gehen einen schmalen Wek entlang. An einer Bang machen sie Hald. Aus seinem Korp holt Max Brod und Saft. Da erscheint ein Flukzeug am Horizond. Es ist laud und erschreckt ein kleines Kalp auf der Weide.

1. Wähle eine Aufgabe aus:

↻ Schreibe die Nomen oben aus der Wolke in der Einzahl auf. Achte besonders auf die richtige Schreibung des letzten Buchstabens.

↻ Entscheide, ob du bei den Wörtern auf der Treppe b oder p, d oder t, g oder k einsetzen musst. Schreibe die Verlängerungen und die Wörter richtig auf.

↺ Finde die Fehler im Wolken-Text. Schreibe den Text richtig auf.

– Rechtschreibstrategien verwenden: – MP Fö, KV 53-58   – ÜH, Seite 63
  Verlängern   – RS, Seite 9, 10   – LSW, Übung 23
– über Fehlersensibilität verfügen   – KV 85, 86

99

Schreibideen finden und ordnen

Mit einer Ideensammlung erfinde ich Geschichten.

Ich schreibe mitten auf ein Blatt ein Wort oder einen Satz.

Darum herum schreibe ich im Kreis, welche Gedanken ich dazu habe.

Zu diesen Gedanken kann ich schreiben, was mir noch einfällt.

Ich kann so lange finden und ordnen, bis ich eine gute Schreibidee habe.

Loch im Eishörnchen

mein Lieblingseis

im Freibad

drei Wünsche frei

Vorsicht

im Eiszimmer

mein großer Bruder

gute Eisfee

die Eiskönigin

Zaubereis

Schlittschuhe

① Plane eine Geschichte mit der Ideensammlung.
- Zeichne die Ideensammlung ab und führe sie fort.
- Suche dir einen Gedanken aus und schreibe deine Geschichte.

100

– sprachliche und gestalterische
  Mittel und Ideen sammeln
– Planungsmethoden nutzen

– KV 90

Mit der Quiesel-Karte Fehler finden

Wenn ich Fehler suche, lese ich den Text mit der Quiesel-Karte von hinten nach vorn.

Kontrollieren

1. Wort für Wort von hinten **lesen**.
2. Dabei genau **lesen** und **mitsprechen**.
3. Fehler? Wort **durchstreichen** und richtig **aufschreiben**.

Abschreiben

1. Wort **lesen** und **deutlich sprechen**.
2. Schwierige Stellen **merken**.
3. Wort **abdecken**.
4. **Schreiben** und **mitsprechen**.
5. Wort **aufdecken** und **vergleichen**.
6. Fehler? Wort **durchstreichen** und richtig **aufschreiben**.

schecken

Ich drehe die Quiesel-Karte um
und decke meinen Text ab.
Nur das letzte Wort ist sichtbar.

Ich lese genau,
was ich geschrieben habe –
ganz genau, was wirklich da steht.
Dabei spreche ich leise mit.

Habe ich einen Fehler gefunden,
markiere ich das Wort
und schreibe es später richtig auf.

Wenn es richtig ist,
mache ich einen kleinen Haken
und decke das nächste Wort auf.

Im Eiszimmer

Es ist kalt. Überall ist Eis.
Es gitb alle Soten Eis, die man ässen kann.
Viele Sorten habe ich noch nie in meinem Leben gesehan.
Heute propbiere ich einmal ein neueses Eis aus.
Ich bin gazn gespannt, wie das Möhreneis
schecken [x1] wird.

[x1] schmecken

Lies erst den ganzen Text!

1. Wie hat Quiesel den Fehler gefunden?

2. Schreibe den Text richtig auf.

3. Tauscht eure Texte aus. Sucht Fehler mit der Quiesel-Karte.

– Arbeitstechniken nutzen: – MP Fö, KV 85/86, KV 188-190   – ÜH, Seite 67
  Texte überprüfen und korrigieren   – KV 12, 91
– Rechtschreibhilfen verwenden

101

1 Wie stellen die Kinder ihr Buch vor?

2 Welche Buchvorstellung wählst du für dein Buch?
Begründe deine Meinung.

3 Stelle dein Buch der Klasse vor.

– Buch begründet auswählen
und vorstellen
– Medien für Präsentation nutzen

– ÜH, Seite 75

Lesetipp

Titel: Felix bei den Kindern der Welt

Autor/Autorin: Annette Langen

Die Geschichte handelt von:
Sofies Kuschelhasen Felix
Er geht in Schweden im Urlaub verloren.
Dann reist er alleine in verschiedene Länder
und schickt Sofie Briefe aus diesen Ländern.

Das hat mir besonders gefallen:
Felix schickt tolle Briefe von überall.
Die sind in das Buch eingeklebt. Ich habe
viel von den Kindern auf der Welt erfahren.

1. Welche Informationen sollte ein Lesetipp enthalten?
   Besprecht die Fachbegriffe.

2. Schreibe einen Lesetipp zu deinem Buch.

– anderen etwas zum Inhalt erzählen
  und eigene Meinung äußern
– Fachbegriffe kennen

– KV 99

103

Texte schreiben: Bilderbuch

Ein Abenteuer für Dudu Dreieck

Dudu Dreieck langweilt sich in den Sommerferien zu Hause.

Also geht er raus und sucht nach einem Abenteuer. Als er die Vögel sieht, kommt ihm eine Idee.

1 Welches Abenteuer kann Dudu Dreieck erleben? Erzählt.

Lya

- Dudu ruft Vögel
- setzt sich auf den Rücken
- fliegt über magischen Berg

Harris

Dudus Abenteuer

Paula

Eren

Er packt sofort seinen Koffer.

2 Wie haben die Kinder ihre Geschichte geplant?

3 Wie willst du deine Geschichte planen?
Du kannst die Geschichte von Dudu Dreieck weiterschreiben oder dir eine eigene Geschichte ausdenken.

4 Male Bilder für ein Bilderbuch.
Schreibe passende Texte dazu.

Schreibideen finden
→ Seite 100

Wie viele Bilder brauchst du für dein Bilderbuch?

– Planungs- und Schreibhilfen kennen
– mit sprachlichen / gestalterischen Mittel umgehen

– MP Fö, KV 167, KV 168

– ÜH, Seite 68
– KV 92

Texte überarbeiten

Kicki Kreis findet einen Schatz

Kicki Kreis
findet
am Strand
eine
Flaschenpost.
In der Flasche
steckt
ein Zettel.

Sofort
öffnet Kicki
die Dose.
Darin ist
eine
Postkarte.

Kucku
ist stark
und kann
die Flasche
öffnen. In der
Flasche
ist eine große
Schatzkarte.

Kicki und
Kucku
schauen
die Schatz-
karte genau
an.
Die Karte
führt sie in
eine Höhle.

(1) Wo passt der Text nicht zum Bild?
Schreibe zu diesen Bildern passende Texte.

(2) Vergleicht eure Ergebnisse.

(3) Überarbeitet eure eigenen Bilderbücher.

Tipp

Passt der Text
zum Bild?

Gemeinsam lernen
→ Seite 40

– Texte auf Verständlichkeit /
und Wirkung überprüfen
– Texte veröffentlichen

– MP Fö, KV 167, KV 168

– ÜH, Seite 68
– KV 92

105

Wortbausteine verwenden

Leni will heute ihr Gedicht tragen.
Felix möchte Paul seine Geschichte lesen.
Annika soll ihre Rechenaufgaben bessern.
Tamina muss sich erstmal mit Arnela tragen.
Sidur möchte Mila sein Bilderbuch stellen.
Olivia, Kim und Lilly sollen ihren Tanz führen.
Liam kann die Minusaufgaben nicht stehen.

1 Was stimmt mit diesen Sätzen nicht?
Was musst du ergänzen?

2 Schreibe die Sätze richtig auf.
Markiere ver- und vor-.

Eines merke dir genau,
ver- und vor-
schreibt man mit v!

---

suchen machen singen raten folgen schlagen kaufen schließen

3 Wähle eine Aufgabe aus:

↻ Bilde sinnvolle Wörter mit ver- und vor-
und den Wörtern aus dem Kasten.

↺ Finde eigene Wörter mit ver- oder vor-.
Es können auch Nomen und Adjektive sein.

↺ Finde Wörter, bei denen beide Wortbausteine passen:
vorsagen – versagen, Vertrag – Vortrag ...

– Funktion von vorangestellten
Wortbausteinen kennen
– Wörter strukturieren

– MP Fö, KV 63/64, KV 179

– ÜH, Seite 70, 74
– KV 94

Ausrufe und Aufforderungen kennenlernen

1 Lies die Sätze. Achte auf die Betonung.

2 Welche Satzzeichen fehlen in den Sprechblasen?
Schreibe die Sätze mit den richtigen Satzzeichen auf.

3 Denke dir weitere Aussagesätze, Ausrufe und Fragesätze aus. 🎁

!

> Nach **Ausrufen** und **Aufforderungen** steht oft ein Ausrufezeichen: **!**
> Einfach super! Lass das, bitte! Lauf los!

– Satzarten erkennen   – MP Fö, KV 145/146, KV 186   – ÜH, Seite 69, 73
  (Ausrufe und Aufforderungen)   – LSW, Übung 25
– Satzzeichen setzen   – KV 93

107

Ⓜ Rechtschreibstrategien verwenden: Merkwörter

Es war einmal ein kleiner
Junge, der hieß Henri.
Er hatte eine eigene Villa
mit einer tollen Veranda davor.
Aber Henri war sehr traurig.
Vor einigen Monaten war
sein Vater von vier Vampiren
entführt worden.
Sie hatten ihn bestimmt
in ein dunkles Verlies gesperrt.
Henri würde ihn vielleicht
nie wiedersehen.
Abends übte er nun immer
brav auf seinem Klavier.
Henri spielte viele traurige
Lieder, denn sein Vater
fehlte ihm sehr.

Eines Tages im Advent
kam ein seltsamer Vogel
zu Henris Villa geflogen.
Der Vogel konnte sprechen
und sogar zaubern. Er sah,
dass Henri oft geweint hatte.
Da bekam er Mitleid
mit dem Jungen und sprach
einen magischen Spruch
aus seinem Zauberbuch.
Plötzlich gab es einen
lauten Knall und Qualm.
Und als Henri endlich
wieder etwas sehen konnte,
stand sein Vater vor ihm.

1. Schreibe alle Wörter mit V/v in dein Heft. Markiere das V/v.

2. Übe die V/v-Wörter mit der Profikarte. 📦

Profikarte
→ Seite 29

3. Wie kann V/v klingen?
Trage alle V/v-Wörter aus dem Text in eine Tabelle ein.

V klingt wie V in Vogel	V klingt wie V in Vase
Verlies	Veranda

4. Finde weitere Merkwörter mit V/v
und trage sie in die Tabelle ein.

5. Denke dir eine eigene Geschichte
mit vielen V/v-Wörtern aus. 📦

Wörterliste
→ Seite 28

108

– Rechtschreibstrategien verwenden:
Merkwörter
– stimmhafte/-lose Konsonanten erkennen

– MP Fö, KV 71, KV 72
– RS, Seite 18

– ÜH, Seite 19, 70
– KV 95, 96

Rechtschreibstrategien verwenden

der Pri___z   die Fe___er   der Ri___er

der Ri___g   die So___e   das Mo___ster

der Hu___   die Ke___e   das Schi___

der E___el   die Kro___e   das Be___

die Spu___   das Wa___er

das **Bett**
 spannend
 schnell
der **Vampir**
die **Villa**
 vier

der Autor
die Bücherei
 gruselig
 schmökern
der Titel
 wegfliegen

1 Setze die fehlenden Mitlaute ein
und schreibe die Wörter auf.

2 Unterstreiche die Wörter,
bei denen du einen kurzen Selbstlaut hörst.
Markiere den kurzen Selbstlaut.

3 Markiere bei den Wörtern mit kurzem Selbstlaut die doppelten Mitlaute.

Vampire auf der Flucht

Mina schmökert im Bett in einem spannenden Buch
über Vampire. Die Vampire leben in einer gruseligen
Villa. Auf einmal tauchen vier Monster vor der Villa auf.
Sie wollen einen Vampir fangen. Die Vampire können
jedoch noch schnell wegfliegen. Aber die Monster
bleiben den Vampiren auf der Spur. Sie jagen sie
durch die Nacht. Als es Morgen wird, geben
die Monster auf. Nun können die Vampire wieder
nach Hause in die Villa fliegen.

4 Schreibe den Text ab und unterstreiche alle V/v-Wörter.

Abschreiben
→ Seite 17

– Rechtschreibstrategien verwenden | – MP Fö, KV 25-32 | – ÜH, Seite 11, 71, 72
– methodisch sinnvoll abschreiben: | – RS, Seite 15, 16 | – LSW, Übung 26, 27
   Text mit 63 (74) Wörtern | | – KV 97, 98

109

Satzarten erkennen

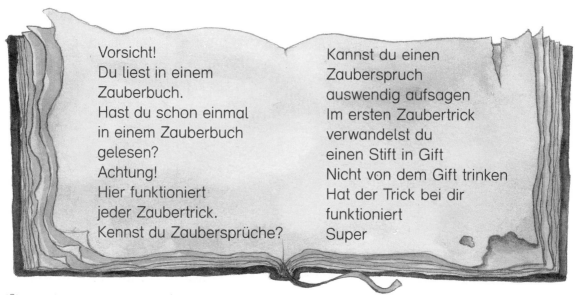

Vorsicht!
Du liest in einem
Zauberbuch.
Hast du schon einmal
in einem Zauberbuch
gelesen?
Achtung!
Hier funktioniert
jeder Zaubertrick.
Kennst du Zaubersprüche?

Kannst du einen
Zauberspruch
auswendig aufsagen
Im ersten Zaubertrick
verwandelst du
einen Stift in Gift
Nicht von dem Gift trinken
Hat der Trick bei dir
funktioniert
Super

1 Wähle eine Aufgabe aus:

Schreibe die Sätze auf der linken Seite ab. Markiere die Satzzeichen.

Schreibe die Sätze auf der rechten Seite ab. Ergänze die Satzzeichen.

Wie würdest du einem anderen Kind die Satzarten erklären?

Verben mit ver- und vor- verwenden

bergen
rennen
bauen
raten
machen

brennen
laufen
schließen
singen
sprechen

blühen
sagen
drängeln
stehen

dampfen
kaufen
lügen
tragen

vor-
ver-

2 Wähle eine Aufgabe aus:

Bilde Wörter mit vor- und ver-.

Bei welchen Verben kann man vor- und ver- einsetzen?

Suche Wörter, die du mit ver- und vor- zusammensetzen kannst.

– Satzarten erkennen
und Satzzeichen setzen
– Wortbausteine verwenden

– MP Fö, KV 63/64, KV 179,
KV147/148, KV 145/146, KV 186

– ÜH, Seite 69, 70, 73, 74
– LSW, Übung 25
– KV 93, 94

 Rechtschreibstrategien verwenden

verunsichern	vorsagen	Vortrag
Vater	viel	vergessen	vier
Vers	verstehen	vertragen

1 Wähle eine Aufgabe aus:

○ Schreibe die Wörter mit V/v auf.
Markiere die schwierige Stelle im Wort und merke sie dir.

○ Schreibe die Wörter zu den Bildern mit V/v auf.

○ Warum sind Wörter mit V/v Merkwörter? Erkläre.

● **Rechtschreibstrategien verwenden**

m oder mm?	Ka∎er	ko∎en	O∎a	La∎a
f oder ff?	Ko∎er	Sa∎t	tre∎en	Schi∎e
p oder pp?	Pu∎e	O∎a	Su∎e	kla∎ern
n oder nn?	Ka∎e	Melo∎e	bre∎en	Pfa∎e

2 Wähle eine Aufgabe aus:

○ Schreibe die Wörter richtig auf.

○ Finde auf den Bildern Wörter, die mit doppeltem Mitlaut geschrieben werden. Schreibe sie auf.

○ Wie erklärst du einem anderen Kind die Regeln für das Verdoppeln von Mitlauten?

– Rechtschreibstrategien verwenden: – MP Fö, KV 71/72, KV 25-32   – ÜH, Seite 70, 71
  Merkwörter mit V/v schreiben,   – RS, Seite 15, 16, 18   – LSW, Übung 26
  Vokallänge prüfen   – KV 95, 96

111

Ein Buch vorstellen

> Meine Zuhörer sollen Lust bekommen, das Buch auch zu lesen.

So kannst du dein Buch vorstellen:
- Ich zeige das Buch.
- Ich nenne den Titel und die Autorin oder den Autor.
- Ich erzähle, um was es geht.
- Ich lese eine spannende Stelle vor.
- Ich bringe Gegenstände mit, die zum Buch passen.
- Ich spiele mit jemandem eine Stelle aus dem Buch vor.
- Ich male Bilder und zeige sie beim Vorstellen.

Vorlesen · Bild 1 · Bild 2

Tine macht Geschichten

> Tine geht auf den Spielplatz. Damit sie die Zeit nicht vergisst, nimmt sie Omas teure Uhr mit. Sie legt sie auf den Rand der Sandkiste. Als sie nachsehen will, wie spät es ist, ist die Uhr weg. Tine sucht und sucht – ohne Erfolg. Tine weint. Da kommt Kleo, der Hund von Familie Meier, und tröstet Tine. Dann schnuppert er überall herum. Plötzlich scharrt er mit den Vorderpfoten im Sand, stoppt und bellt ganz aufgeregt.

(1) Welche Dinge könntest du mitbringen, die zu dem Buch passen?

(2) Welche Stelle aus dem Buch kann man gut vorspielen?

(3) Welche Bilder würdest du in dein Bilderbuch zum Buch malen?

> Du kannst auch am Anfang eine spannende Stelle vorlesen.

(4) Stelle dein Lieblingsbuch vor.

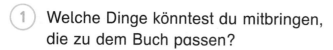

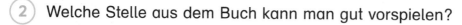

– Buch begründet auswählen und vorstellen
– Medien für Präsentation nutzen

– ÜH, Seite 75
– KV 99

Ein Lesetagebuch führen

Mit meinem Lesetagebuch kann ich mich gut an die Geschichte erinnern.

In meinem Lesetagebuch steht,
- welches Buch ich lese,
- was ich wann lese,
- welche Meinung ich dazu habe.

Manchmal
- schreibe ich eine Textstelle ab,
- male ich ein Bild,
- schreibe ich einen Steckbrief zu den Figuren,
- schreibe ich Textstellen um.

Mein Lesetagebuch

Titel des Buches: Die Olchis sind da	Was ich denke, was ich meine: Ich finde sehr komisch, was die Olchis mögen. Ich hätte keine Lust, an alten Gummireifen herumzuknabbern. Ich bin gespannt, wie das weitergeht.
Autor: Erhard Dietl	
Verlag: Friedrich Oetinger	
Datum: 26.05. Seite 5	

1. Lege dir in deinem Heft auch eine Doppelseite für dein Lesetagebuch an.

2. Trage nach dem Lesen alle Angaben ein.

Olchis mögen keine Schoko-lade. Und auch kein Eis und keine Bonbons.		**Steckbrief** Name: Olchi Alter: unbekannt	Olchis mögen alles nicht, was uns gut schmeckt.

3. Womit möchtest du dein Lesetagebuch ergänzen?
   Schreibe oder male und klebe in dein Lesetagebuch.

| Januar | Februar | März | April | Mai | Juni |

1 Mache eine Entdeckungsreise
durch das Jahr.
Was ist gleich? Was ist besonders?

2 Ordne die Monate den Jahreszeiten zu.
Frühling: März, ...
Sommer: ...
Herbst: ...
Winter: ...

– funktionsangemessen sprechen:
  erzählen
– Fachbegriffe kennen

– KV 101, 102

Juli	August	September	Oktober	November	Dezember

1 Wähle eine Jahreszeit aus.
- Was magst du daran?
- Was magst du daran nicht?

Das
mag ich:

Das
mag ich
nicht:

Im Herbst
regnet es so oft.

Das Laub hat
bunte Farben.

Der Wind ist toll,
um Drachen steigen
zu lassen.

– eigene Meinung begründen
– sich an Gesprächen beteiligen
– Sichtweisen unterscheiden

– KV 101, 102

Texte schreiben: Schreibideen entwickeln

Schnee-mann	Sonne	Tulpen blühen
Schwimm-bad	**Das Jahr**	Vogel-nest
buntes Laub	Drachen	Kälte

1. Was ist das Besondere an diesem Bild?

2. Was hat das Wörterquadrat mit dem Bild zu tun?

3. Mache ein eigenes Wörterquadrat zu dem Bild. 🗃
   - Schreibe eine Jahreszeit in die Mitte.
   - Notiere in jedem Feld mindestens einen Begriff, der für dich zu dieser Jahreszeit passt.

4. Stellt euch gegenseitig die Wörterquadrate vor.

Gemeinsam lernen
→ Seite 40

Galerie
→ Seite 65

> Diese Dinge finde ich besonders gut.

Sturm	
Herbst	Kastanien sammeln

– eigene Schreibideen entwickeln
– Erzählmuster und Textmodelle
  für die Planung nutzen

– ÜH, Seite 76
– KV 103, 108, 113, 119

Texte schreiben: Schreiben zu einem Bild

Im Herbst
Der Sturm reißt
Bäume um.
Große Maschinen holen
die Kartoffeln aus der
Erde.
Im Regen gehe ich gern
nach draußen.

Kartoffeln werden geerntet	Sturm	Igel verkriecht sich
Regen	**Herbst**	Kastanien sammeln
buntes Laub	Drachen	Vögel fliegen weg

1. Zu welchem Thema hat das Kind geschrieben?
   Zu welchen Feldern hat es schon Sätze gefunden?

2. Schreibe weitere Sätze auf.

3. Vergleicht eure Ergebnisse.

Tipp

Kann man alles verstehen?
Passen die Sätze zum Themenwort?

4. Schreibe zu deinem eigenen Wörterquadrat
   Sätze auf.

– nach Anregung eigenen Text
  schreiben: Collage / Bild
– Texte auf Verständlichkeit prüfen

– KV 103, 108, 113, 119

117

Texte schreiben: Akrostichon

(1) Wie haben die Kinder das Gedicht geplant und geschrieben?

Diese Gedichte nennt man Akrostichon.

Hurra der Herbst ist da!
Es stürmt.
Raus mit dem Drachen!
Bunte Blätter sammeln.
Sonne, wo bist du?
Toben im Blätterhaufen.

Obstkorb
Birnen
September
Trauben

(2) Wie unterscheiden sich die beiden Gedichte?

(3) Sammelt weitere Wörter zum Herbst.
Zu welchem Wort möchtest du
ein Akrostichon schreiben?

(4) Schreibe ein eigenes Akrostichon zum Herbst.

– sprachliche Mittel sammeln
und ordnen
– nach Anregung schreiben: Gedicht

– ÜH, Seite 76
– KV 103, 104

Texte überarbeiten: Akrostichon

Heute fängt der Herbst an.
Es regnet und stürmt.
Regen fällt vom Himmel.
Blätter werden grün.
Sollen wir bunte Blätter sammeln?
Tiere bereiten sich auf den Winter vor.

Eine Zeile
passt nicht
zum Thema.

1. Überlege mit einem Partner:
   Was wollt ihr an dem Gedicht überarbeiten?

2. Schreibe das überarbeitete Gedicht auf.

3. Überprüfe dein Herbstgedicht mit dem Schreibtipp.
   Markiere, was du verändern willst.
   Schreibe dein überarbeitetes Gedicht auf.

Tipp

Hat jede Zeile etwas
mit dem Thema zu tun?

4. Schneide ein Lesezeichen
   aus festem Papier aus.
   Schreibe dein Herbst-Akrostichon darauf
   und verziere es.

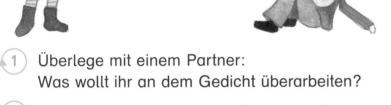

Insekten fressen
Große Schnecken schnappen
Ein schöner Laubhaufen
Lange schlafen!

Herbstferien
Ernte
Regen
Blätter
Sturm
Toll!

– Texte an der Schreibaufgabe
  überprüfen
– Texte gestalten / präsentieren

– ÜH, Seite 76
– KV 103, 104

119

Das Abc kennen und anwenden

Auf welchem Buchstaben liegt die Münze?

Auf dem Y.

1 Erklärt das Abc-Spiel
und spielt es in eurer Klasse.

A ? C	F ? H	K ? M	P ? R	T ? V	W ? Y

2 Wie heißen die Nachbarbuchstaben? Schreibe so: A B C, F ...

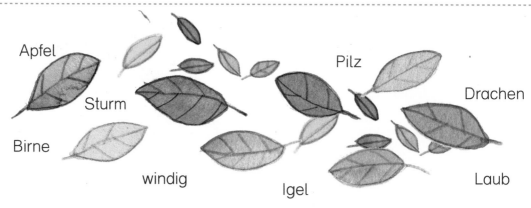

Apfel

Sturm

Birne

windig

Pilz

Igel

Drachen

Laub

3 Schreibe die Wörter nach dem Abc geordnet auf.
Markiere immer den Anfangsbuchstaben: Apfel, ...

4 Schreibe fünf eigene Herbstwörter auf
und ordne sie nach dem Abc. 🧰

Nachschlagen
→ Seite 28

– sprachliche Strukturen kennen
und nutzen: Alphabet
– Wörter sammeln und ordnen

– ÜH, Seite 5, 9, 77

Zwielaute kennenlernen

Bm   n   ge   mer   ro   Lter

1 Für welche Laute stehen die Bilder?
Wie viele Buchstaben musst du für diese Laute schreiben?

W

2 Schreibe die Wörter auf. Markiere die Buchstaben,
die du für die Bilder eingesetzt hast.

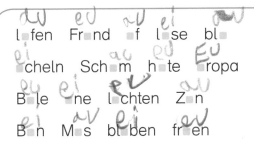

l___fen   Fr___nd   ___f   l___se   bl___
___cheln   Sch___m   h___te   ___ropa
B___le   ___ne   l___chten   Z___n
B___n   M___s   bl___ben   fr___en

aus
beide
ein
der Freund
der Haufen
das Laub

das Blatt
der Drachen
fallen
der Herbst
lassen
vom

3 Musst du Au/au, Ei/ei oder Eu/eu einsetzen?
Schreibe so: Au/au: laufen, ...

!

> **Au/au, Ei/ei** und **Eu/eu** sind **Zwielaute** (Doppellaute).
> Zwielaute sind besondere Selbstlaute.

Im Herbst

Bunte Blätter fallen vom Baum. Max und sein Freund
Lukas springen in einen Haufen aus Laub.
Beide machen eine Blätterschlacht. Dann lassen sie
einen bunten Drachen steigen. Als ein Sturm kommt,
laufen beide schnell nach Hause.

4 Schreibe den Text ab
und markiere in den Wörtern die Zwielaute.

Abschreiben
→ Seite 17

– Zwielaute kennen
– methodisch sinnvoll abschreiben:
  Text mit 29 (38) Wörtern

– MP Fö, KV 15, KV 16

– ÜH, Seite 11, 78
– LSW, Übung 28, 29
– KV 105-107

121

Texte schreiben: Schneeballgedicht

Schnee
Endlich Winter
Schnell nach draußen
Alle Kinder spielen zusammen
Sie bauen einen tollen Schneemann
Nun noch der Schal
Und die Mohrrübe
Endlich fertig
Schön

Winter
Es schneit
Alle freuen sich
Es schneit
Winter

Winter
Eisige Kälte
Dicke Socken anziehen
Gemütlich zu Hause sitzen
Warmen Kakao trinken
Plätzchen backen
Lecker

(1) Warum heißen diese Gedichte Schneeballgedichte?

Kann man Schneeballgedichte auch im Sommer schreiben?

(2) Sammle Wörter zum Winter. Schreibe sie auf.

(3) Tauscht in der Klasse eure Winter-Wörter aus.

(4) Schreibe ein eigenes Schneeballgedicht. 🎁

– sprachliche Mittel sammeln,
ordnen und austauschen
– nach Anregung schreiben: Gedicht

– ÜH, Seite 79
– KV 108, 109

Texte überarbeiten

1. Hat das Kind die Schreibtipps beachtet?
   Überarbeitet das Gedicht.

2. Schreibe das überarbeitete Gedicht auf.

3. Überprüfe dein Schneeballgedicht mit den Schreibtipps.
   Markiere, was du verändern willst.
   Schreibe dein überarbeitetes
   Gedicht auf.

Tipp

Hat jede Zeile etwas mit dem Thema zu tun?
Stimmt der Aufbau des Gedichts?

Galerie
→ Seite 65

– Texte an der Schreibaufgabe
  überprüfen
– Texte gestalten / präsentieren

– ÜH, Seite 79
– KV 108, 109

123

Reime erkennen und bilden

> Im Winter kann ich Sachen machen:
> Schlitten fahren und viel lachen,
> Iglus bauen, Schlittschuh laufen
> oder Vogelfutter kaufen.

1 Welche Wörter reimen sich?

2 Erfinde eigene Winterreime.
Markiere immer die Reimwörter. 🧰

> Reimwörter
> sind Wörter,
> die am Ende
> ähnlich klingen.

Maus
Haus

Präpositionen kennenlernen

> Ben, wo sind
> meine Sachen?

Jacke
Schal
Mütze

Hose
Stiefel

neben
unter
auf
hinter
vor
zwischen
im

3 Schreibe auf, was Ben antwortet.
Verwende Präpositionen aus dem Kasten:
Die Jacke ist <u>im</u> Schrank.

!

Präpositionen sind Wörter, die erklären, wo oder wann etwas ist:
neben der Blume, **auf** dem Sofa, **in** fünf Minuten

– mit Sprache experimentell und
spielerisch umgehen: Reimwörter
– Funktion von Präpositionen kennen

– MP Fö, KV 77/78, KV 125-128

– LSW, Übung 30
– KV 110

M Rechtschreibstrategien verwenden: Merkwörter

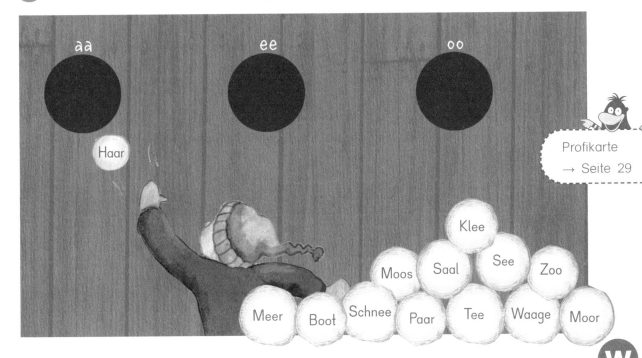

Profikarte
→ Seite 29

1 Schreibe die Wörter geordnet auf:

aa: das Haar, ...   ee: der Klee, ...   oo: das Moor, ...

2 Übt die Wörter als Partnerdiktat.

W

das **Haar**
das **Moos**
das **Paar**
der **Schnee**
der **Tee**
der **Zoo**

alles
die **Hand**
die **Mütze**
der **Schuh**
weiß
der **Winter**

Im Winter

Es schneit. Fast alles ist schon weiß.
Nur etwas Moos schaut aus dem Schnee heraus.
Tom holt seine dicke Mütze und
ein Paar Handschuhe. Er stapft durch den Schnee.
Zu Hause trinkt Tom mit Mama einen warmen Tee.
Aus dem Fenster können sie Toms Spuren
im Schnee sehen.

Abschreiben
→ Seite 17

3 Schreibe alle Verben aus dem Text auf.

– Rechtschreibstrategien verwenden
– methodisch sinnvoll abschreiben:
  Text mit 40 (50) Wörtern

– MP Fö, KV 75, KV 76
– RS, Seite 19

– ÜH, Seite 11, 80, 81
– LSW, Übung 31
– KV 111, 112

125

Texte schreiben: Elfchen

Warm
Die Luft
Der Kirschbaum blüht
Alles ist wieder grün
Frühling

Klein
Eine Blume
Blüht im Frühling
Sterne auf der Wiese
Gänseblümchen

1 Lies die Gedichte.
Was beschreiben sie?

Achte darauf,
wo du Pausen
machen musst.

2 Trage die Gedichte vor.

Wie ist es?	_____
Wer/Was ist es?	_____ _____
Was passiert?	_____ _____ _____
Erzähl noch mehr!	_____ _____ _____ _____
Ein Wort zum Abschluss.	_____

Was bedeuten
die Striche?

3 Welche Regeln habt ihr für das Elfchen erkannt?
Erklärt, wie man ein Elfchen schreibt.

endlich   Viele Blumen blühen

Die Wiesen   Ich spiele wieder draußen   Grün

4 Setze die Satzstreifen zu einem Elfchen zusammen.
Schreibe das Gedicht auf.

– sprachliche Mittel sammeln,
ordnen und austauschen
– nach Anregung schreiben: Gedicht

– KV 113, 114

Texte überarbeiten: Elfchen

1 Suche dir ein Foto aus.
Schreibe dazu ein Elfchen.

Schreibtipp 2

1 Wort

2 Wörter

3 Wörter

4 Wörter

1 Wort

Schreibtipp 1

Wie ist es? ——

Wer/Was ist es? —— ——

Was passiert? —— —— ——

Erzähl noch mehr! —— —— —— ——

Ein Wort zum Abschluss. ——

Schreibtipp 3

——

—— ——

—— —— ——

—— —— —— ——

——

2 Welcher Schreibtipp hilft dir am besten,
ein eigenes Elfchen zu schreiben?
Warum?

Himmel
blau
Ein paar weiße Wolken ziehen
Länger scheint die Sonne
Frühling

Tipp

Hast du die Elfchen-Regeln eingehalten?
Hat jede Zeile etwas mit dem Thema zu tun?

3 Was fällt dir bei dem Elfchen auf?

4 Schreibe es richtig auf.

5 Überarbeitet eure Elfchen.

Grün
Der Baum
Die Blätter rauschen
Ich schau nach oben
Blätterdach

– Texte an der Schreibaufgabe
  überprüfen
– Texte gestalten / präsentieren

– KV 113, 114

127

Pronomen kennenlernen

Jana ist meine Freundin.
Jana hat einen Hund.
Oft geht **Jana** mit ihm spazieren.
Manchmal hat **Jana** keine Lust.

Sie ist meine Freundin.
Sie hat einen Hund.
Oft geht **sie** mit ihm spazieren.
Manchmal hat **sie** keine Lust.

(1) Vergleicht die beiden Texte. Was fällt euch auf?

Paul kocht gern.
Paul probiert viele Rezepte aus.
Am liebsten kocht **Paul** Nudeln.
Oft lädt **Paul** seine Freunde ein.

Das Pferd steht im Stall.
Das Pferd frisst Heu und Möhren.
Oft zieht **das Pferd** eine Kutsche.
Am liebsten galoppiert **das Pferd**.

(2) Ersetze das markierte Nomen durch das passende Pronomen.
Wann muss das Nomen stehen bleiben?

Im Frühling wacht ⬤ aus seinem Winterschlaf auf.
Dann hat ⬤ großen Hunger. In der Dämmerung
macht ⬤ sich auf den Weg, um Beute zu suchen.
Sobald die Sonne scheint, summt ⬤ wieder
über die Wiese. ⬤ fliegt von Blume zu Blume.
Dabei sammelt ⬤ fleißig Nektar.
⬤ freut sich auf die grüne Frühlingswiese.
⬤ frisst am liebsten Gänseblümchen.
Aber auch frischen Klee findet ⬤ sehr lecker.

> **Einzahl**
> ich
> du
> er, sie, es
>
> **Mehrzahl**
> wir
> ihr
> sie

(3) Über welche Tiere wird hier berichtet?

(4) Schreibe die Texte ab.
Setze passende Nomen und Pronomen ein.

! Ein **Pronomen** steht anstelle eines Nomens:
der **Hund** bellt — **er** bellt

die **Katze** miaut — **sie** miaut

das **Pferd** wiehert — **es** wiehert

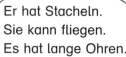

Er hat Stacheln.
Sie kann fliegen.
Es hat lange Ohren.

128

– sprachliche Operationen nutzen: ersetzen
– Personalpronomen unterscheiden

– MP Fö, KV 129, KV 130

– ÜH, Seite 82
– KV 115

Rechtschreibstrategien verwenden

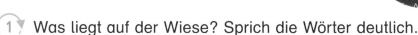

die
fl**ie**gen
s**ie**
v**ie**le
w**ie**der
die **Wie**se

die Biene
endlich
entdecken
der Frühling
die Sonne
der Vogel

1 Was liegt auf der Wiese? Sprich die Wörter deutlich.

2 Bei welchen Wörtern hörst du ein langes i?

3 Schlage die Wörter in der Wörterliste nach und schreibe sie auf.

4 Vergleiche die Wörter. Was fällt dir auf?

Wenn man ein langes i hört, schreibt man meistens ie.

Nachschlagen
→ Seite 28

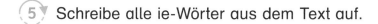

Der Frühling

Endlich ist der Frühling da. Die Sonne scheint
wieder wärmer. Die ersten Bienen sausen
über die Wiese. Viele Kinder sind draußen
und spielen. Im Park und auf der Wiese entdecken sie
bunte Frühlingsblumen. Auf den Bäumen
spielen kleine Vögel und fliegen flink
von Ast zu Ast. Sie freuen sich sehr
über die wärmenden Sonnenstrahlen.

5 Schreibe alle ie-Wörter aus dem Text auf.

Abschreiben
→ Seite 17

– Rechtschreibstrategien verwenden   – MP Fö, KV 33, KV 34   – ÜH, Seite 11, 19, 83, 84
– methodisch sinnvoll abschreiben: – RS, Seite 17   – LSW, Übung 32, 33
    Text mit 48 (56) Wörtern   – KV 116-118

129

100 Sommerkinder

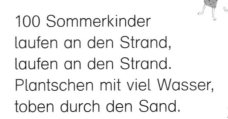

Melodie: Alle meine Entchen

100 Sommerkinder
flitzen durch den Wald,
flitzen durch den Wald.
Springen über Hecken,
ihnen ist nicht kalt.

100 Sommerkinder
laufen an den Strand,
laufen an den Strand.
Plantschen mit viel Wasser,
toben durch den Sand.

100 Sommerkinder
drehen sich im Kreis,
drehen sich im Kreis.
Tanzen immer schneller,
dann ist ihnen heiß.

100 Sommerkinder
fahren in die Stadt,
fahren in die Stadt.
Essen dort viel Kuchen
und sind pappesatt.

(1) Singt das Lied.

(2) Schau dir die Strophen genau an.
Was erleben die Sommerkinder?

(3) Was ist in allen Strophen gleich?
Welche Wörter reimen sich?

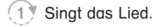

– nach Muster / Anregung schreiben
– sich an gemeinsamen
Schreibprojekten beteiligen

– KV 119, 120

Texte überarbeiten: Reime beachten

Wo
Sommerkinder
sind:
im Wald,
am Wasser,
im Zoo ...

Was
Sommerkinder
tun:
rennen,
lachen,
hüpfen ...

1 Ergänzt die Wörtersammlung:
Wo sind die Sommerkinder?
Was tun sie?

2 Schreibt eigene Strophen.

3 Überarbeitet eure Strophen.

4 Schreibt eure Strophen
in schöner Schrift auf.
Gestaltet gemeinsam ein Liederbuch.

> **Tipp**
> Hast du auf die Reimwörter geachtet?
> Passt der Text zur Melodie?

100 SOMMER-KINDER

UNSER LIEDERBUCH

– Texte an der Schreibaufgabe
  überprüfen
– Texte gestalten / präsentieren

– KV 119, 120

131

START

ZIEL

Nenne drei Nomen, die als Artikel **das** haben.

Nenne ein anderes Wort für **laufen**.

Nenne ein Adjektiv, das einen Apfel beschreibt.

Bilde die Mehrzahl: **Messer, Löffel, Teller**

Nenne das passende Verb zu **Tanz**.

Nenne ein Adjektiv, das beschreibt, wie du dich fühlst.

Nenne zwei Nomen mit **B**.

Nenne ein Verb, das sagt, was ein Koch tut.

Finde einen Gegensatz: **alt, lang, traurig**

1. Überlegt euch Spielregeln für das Spiel. Was bedeuten die Farben der Felder?

2. Schreibt weitere Aufgabenkarten für das Spiel.

3. Spielt das Spiel.

Blumen sind Joker. Würfle noch einmal!

132

– grundlegende sprachliche Begriffe kennen: Nomen, Verb, Adjektiv
– Wortarten unterscheiden

– MP Fö, KV 131, KV 132

– ÜH, Seite 85
– LSW, Übung 34
– KV 121

Rechtschreibstrategien verwenden: Merkwörter

1 Finde in der Wörterliste die passenden x-Wörter zu den Bildern und schreibe sie auf.

2 Schreibe mit jedem Wort einen Satz.

W

mi**x**en
die Ni**x**e
das Pony
der Teddy
typisch
das **X**ylofon

bekommen
erfüllen
geheimnisvoll
groß
das Meer
schwimmen

Bab■   Part■   Tedd■
■ ak   t ■ pisch   Pon■

3 Setze Y/y ein und schreibe die Wörter auf.

4 Schreibe mit jedem Wort einen Satz.

Quiesels Sommertraum

Am Meer ist es abends oft geheimnisvoll.
Die Sonne geht unter.
Die Wellen klingen wie die Töne eines Xylofons.
Nixen schwimmen an den Strand. Teddys reiten
auf weißen Ponys. Quiesel begegnet dem großen Zauberer.
Er mixt einen typischen Zaubertrank. Alle trinken davon.
Jeder bekommt seinen größten Traum erfüllt. Es wird hell.
Alles verschwindet wieder im Meer. Quiesel erwacht.
Einen so aufregenden Traum hatte er noch nie.

Profikarte
→ Seite 29

Abschreiben
→ Seite 17

5 Schreibe den Text ab und unterstreiche die Adjektive.

– Rechtschreibstrategien verwenden   – MP Fö, KV 73, KV 74   – ÜH, Seite 11, 86, 87
– methodisch sinnvoll abschreiben: – RS, Seite 20   – LSW, Übung 35
  Text mit 60 (68) Wörtern   – KV 122-125

133

Laute und Buchstaben

- Aa Ee Ii Oo Uu
  sind **Selbstlaute** (Vokale).
  Alle anderen Buchstaben im Abc
  sind **Mitlaute** (Konsonanten).

- Das Abc heißt auch **Alphabet**.

- Ää Öö Üü sind **Umlaute**.
  Au/au Äu/äu Ei/ei Eu/eu Ai/ai
  sind **Zwielaute** (Doppellaute).
  Umlaute und Zwielaute
  sind besondere Selbstlaute.

Näschen!

Nase!

Silben

- **Silben** sind Teile von Wörtern.
  Manche Wörter haben nur eine Silbe.

- In jeder Silbe ist ein Selbstlaut,
  Umlaut oder Zwielaut.

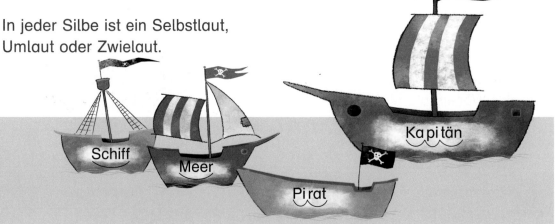

Schiff

Meer

Pi rat

Ka pi tän

– grundlegende sprachliche
Begriffe kennen:
Laute, Buchstaben, Silben

– KV 126

Wortfamilien

- Wörter mit demselben **Wortstamm** gehören zu einer **Wortfamilie**.

- An einem Wortstamm kann man **Wortbausteine** anfügen.

aus	ruh	en
	Ruh	e

Wortarten

Bei Wörtern kann man verschiedene **Wortarten** unterscheiden.
Zum Beispiel:
- Verben
- Nomen
- Artikel
- Adjektive
- Pronomen
- Präpositionen

Verben

- **Verben** geben an, was jemand **tut**.

- Bei den **Personalformen** verändern sich die Verben.

- Die Wir-Form der Verben ist wie die **Grundform**.
  In der Wörterliste stehen die Verben in der Grundform.

Der Pirat **schwimmt**.

Wir **warten**.

Nomen

- **Nomen** sind **Namen** für Menschen, Tiere, Pflanzen und Dinge.

- Nomen gibt es in der **Einzahl** und in der **Mehrzahl**.
- Nomen können einen **Artikel** (Begleiter) haben.
- Nomen schreiben wir **groß**.
- Nomen kann man zusammensetzen. Mit **zusammengesetzten Nomen** kann man sich genauer ausdrücken.

> Ich bin ein **Pirat** und das ist mein **Schiff**.

> Auf unserem **Piratenschiff** segeln wir über die Meere.

Artikel (Begleiter)

- Artikel stehen beim Nomen.
- Es gibt **bestimmte Artikel**: der, die, das und **unbestimmte Artikel**: ein, eine

> der Pirat, ein Pirat
> die Insel, eine Insel
> das Meer, ein Meer

Adjektive

- **Adjektive** geben an, **wie** etwas ist.

> Das Essen ist **lecker**.

> der **hungrige** Pirat

Pronomen

- Ein **Pronomen** steht anstelle eines Nomens.

> Der Pirat hat Hunger.

> **Er** isst viel.

- grundlegende sprachliche Begriffe kennen: Nomen, Artikel, Adjektiv, Pronomen

– KV 126

Präpositionen

- **Präpositionen** sind Wörter, die erklären, wo oder wann etwas ist.

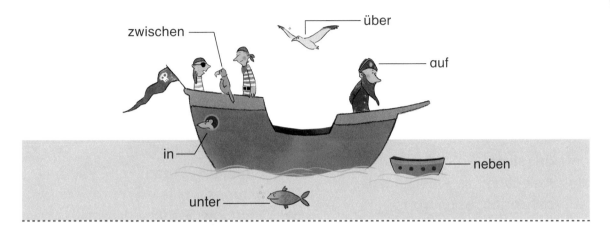

Sätze

- Aus **Wörtern** kann man **Sätze** bilden.

- **Das erste Wort** in einem Satz schreibt man **groß**.

- Am Ende eines **Aussagesatzes** steht ein **Punkt**.
  Am Ende eines **Fragesatzes** steht ein **Fragezeichen**.
  Nach **Ausrufen** und **Aufforderungen** steht oft ein **Ausrufezeichen**.

- Die Teile eines Satzes nennt man **Satzglieder**. Man kann sie umstellen.

Die Piraten segeln über die Meere. Sie feiern viele Feste.

Wir feiern ein Fest.

Willst du auch kommen?

Komm mit!

Oh, ja!

Die Piraten

segeln

über die Meere

A

der **Abend,** die Abende
das **Abenteuer,** die Abenteuer
    acht
der **Affe,** die Affen
    alle, alles
    alt
die **Ampel,** die Ampeln
    an
    ängstlich
die **Anleitung,** die Anleitungen
    antworten, er antwortet
der **Apfel,** die Äpfel
    April
    arbeiten, sie arbeitet
der **Arm,** die Arme
der **Ast,** die Äste
die **Aufgabe,** die Aufgaben
das **Auge,** die Augen
    August
    aus
das **Auto,** die Autos
der **Autor,** die Autoren
die **Axt,** die Äxte

B

das **Baby,** die Babys
    baden, er badet
der **Ball,** die Bälle
die **Bank,** die Bänke
der **Bauch,** die Bäuche
    bauen, sie baut
der **Baum,** die Bäume
    beginnen, sie beginnt

    begrüßen, er begrüßt
    beide
das **Bein,** die Beine
    bekommen, sie bekommt
    besonders
das **Bett,** die Betten
    bewegen, sie bewegt
    bezahlen, er bezahlt
die **Biene,** die Bienen
das **Bild,** die Bilder
die **Birne,** die Birnen
    bitten, sie bittet
das **Blatt,** die Blätter
    blau
    bleiben, er bleibt
    blühen, es blüht
die **Blume,** die Blumen
die **Blüte,** die Blüten
der **Boden,** die Böden
    böse
der **Boxer,** die Boxer
    braun
der **Brief,** die Briefe
    bringen, sie bringt
das **Brot,** die Brote
der **Bruder,** die Brüder
das **Buch,** die Bücher
die **Bücherei**
    bunt
der **Busch,** die Büsche

 C

der **Cent,** die Cent
der **Computer,** die Computer

D

danken, er dankt
denken, sie denkt
Dezember
dicht
die
der Dieb, die Diebe
Dienstag
das Ding, die Dinge
Donnerstag
der Drachen, die Drachen
draußen
drei
drücken, er drückt
der Duft, die Düfte
dunkel

E

das Ei, die Eier
ein
eins
elf
die Eltern
das Ende, die Enden
endlich
eng
entdecken, sie entdeckt
die Ente, die Enten
die Erde
erfüllen, er erfüllt
erklären, sie erklärt
essen, er isst
die Eule, die Eulen
der Euro, die Euro

F

fahren, er fährt
der Fahrstuhl, die Fahrstühle
fallen, sie fällt
die Familie, die Familien
fangen, er fängt
die Fantasie
Februar
fein
das Feld, die Felder
das Fell, die Felle
das Fenster, die Fenster
finden, sie findet
der Finger, die Finger
der Fisch, die Fische
fliegen, es fliegt
flink
der Flügel, die Flügel
flüssig
fragen, er fragt
die Frau, die Frauen
Freitag
fremd
der Fremde, die Fremden
die Freude, die Freuden
sich freuen, sie freut sich
der Freund, die Freunde
die Freundin, die Freundinnen
frisch
die Frucht, die Früchte
der Frühling
füllen, er füllt
fünf
der Fuß, die Füße
das Futter

G

ganz

der **Garten,** die Gärten

geben, er gibt

geheimnisvoll

gehen, sie geht

gelb

das **Geld,** die Gelder

das **Gemüse**

das **Gesicht,** die Gesichter

gestern

gesund

das **Gras,** die Gräser

groß

grün

gruselig

die **Gurke,** die Gurken

gut

H

das **Haar,** die Haare

haben, er hat

der **Hals,** die Hälse

halten, sie hält

die **Hand,** die Hände

die **Harke,** die Harken

hart

der **Hase,** die Hasen

der **Haufen,** die Haufen

das **Haus,** die Häuser

die **Haut,** die Häute

die **Hecke,** die Hecken

heiß

heißen, er heißt

helfen, sie hilft

hell

das **Hemd,** die Hemden

der **Herbst**

der **Herr,** die Herren

heute

die **Hexe,** die Hexen

die **Hilfe**

der **Himmel**

die **Höhle,** die Höhlen

hören, er hört

die **Hose,** die Hosen

der **Hund,** die Hunde

hundert

I

der **Igel,** die Igel

ihn

J

das **Jahr,** die Jahre

Januar

jetzt

Juli

Juni

der **Junge,** die Jungen

der **Käfer**, die Käfer
der **Kalender**, die Kalender
kalt
die **Kälte**
die **Karte**, die Karten
die **Katze**, die Katzen
kaufen, sie kauft
die **Kerze**, die Kerzen
das **Kind**, die Kinder
die **Kiste**, die Kisten
die **Klasse**, die Klassen
das **Kleid**, die Kleider
klein
klettern, sie klettert
klingeln, es klingelt
kommen, er kommt
können, sie kann
der **Kopf**, die Köpfe
der **Korb**, die Körbe
der **Körper**, die Körper
krank

das **Land**, die Länder
lassen, er lässt
das **Laub**
laufen, sie läuft
laut
leben, er lebt
legen, sie legt
leicht
leise
lernen, er lernt

lesen, sie liest
die **Leute**
das **Licht**, die Lichter
lieb
lieben, er liebt
liegen, es liegt

machen, sie macht
das **Mädchen**, die Mädchen
Mai
malen, er malt
der **Mann**, die Männer
März
die **Maus**, die Mäuse
das **Meer**, die Meere
die **Minute**, die Minuten
Mittwoch
mixen, er mixt
der **Mixer**, die Mixer
mögen, sie mag
der **Monat**, die Monate
Montag
das **Moos**, die Moose
morgen
der **Morgen**, die Morgen
der **Mund**, die Münder
müssen, er muss
die **Mutter**, die Mütter
die **Mütze**, die Mützen

N

die **Nacht,** die Nächte
der **Name,** die Namen
die **Nase,** die Nasen
der **Nebel**
    nehmen, er nimmt
    neu
    neugierig
    neun
die **Nixe,** die Nixen
    November
    nun

O

das **Obst**
das **Ohr,** die Ohren
    Oktober
der **Onkel,** die Onkel
    Ostern

P

das **Paar,** die Paare
das **Papier,** die Papiere
der **Park,** die Parks
das **Pferd,** die Pferde
    pflanzen, er pflanzt
    pflegen, sie pflegt
der **Pinguin,** die Pinguine
der **Platz,** die Plätze
das **Pony,** die Ponys
die **Puppe,** die Puppen

Qu

    quaken, er quakt
die **Qualle,** die Quallen
der **Quatsch**
die **Quelle,** die Quellen
    quer
    Quiesel

R

der **Ranzen,** die Ranzen
der **Räuber,** die Räuber
die **Raupe,** die Raupen
    rechnen, sie rechnet
    reden, er redet
der **Regen**
    reich
    reisen, sie reist
    rennen, sie rennt
    riechen, er riecht
der **Rock,** die Röcke
    rollen, sie rollt
    rot
der **Rücken,** die Rücken
    rufen, er ruft

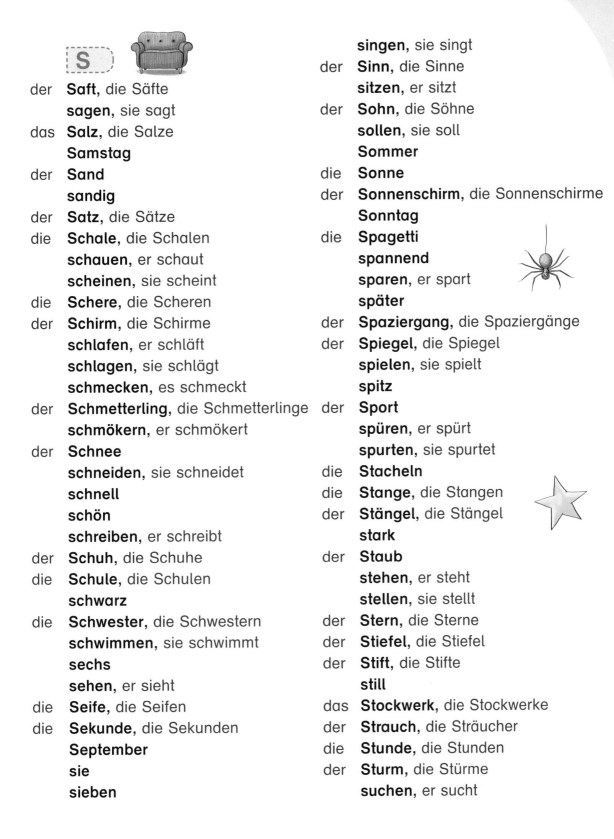

S

der	**Saft,** die Säfte
	sagen, sie sagt
das	**Salz,** die Salze
	Samstag
der	**Sand**
	sandig
der	**Satz,** die Sätze
die	**Schale,** die Schalen
	schauen, er schaut
	scheinen, sie scheint
die	**Schere,** die Scheren
der	**Schirm,** die Schirme
	schlafen, er schläft
	schlagen, sie schlägt
	schmecken, es schmeckt
der	**Schmetterling,** die Schmetterlinge
	schmökern, er schmökert
der	**Schnee**
	schneiden, sie schneidet
	schnell
	schön
	schreiben, er schreibt
der	**Schuh,** die Schuhe
die	**Schule,** die Schulen
	schwarz
die	**Schwester,** die Schwestern
	schwimmen, sie schwimmt
	sechs
	sehen, er sieht
die	**Seife,** die Seifen
die	**Sekunde,** die Sekunden
	September
	sie
	sieben

	singen, sie singt
der	**Sinn,** die Sinne
	sitzen, er sitzt
der	**Sohn,** die Söhne
	sollen, sie soll
	Sommer
die	**Sonne**
der	**Sonnenschirm,** die Sonnenschirme
	Sonntag
die	**Spagetti**
	spannend
	sparen, er spart
	später
der	**Spaziergang,** die Spaziergänge
der	**Spiegel,** die Spiegel
	spielen, sie spielt
	spitz
der	**Sport**
	spüren, er spürt
	spurten, sie spurtet
die	**Stacheln**
die	**Stange,** die Stangen
der	**Stängel,** die Stängel
	stark
der	**Staub**
	stehen, er steht
	stellen, sie stellt
der	**Stern,** die Sterne
der	**Stiefel,** die Stiefel
der	**Stift,** die Stifte
	still
das	**Stockwerk,** die Stockwerke
der	**Strauch,** die Sträucher
die	**Stunde,** die Stunden
der	**Sturm,** die Stürme
	suchen, er sucht

T

die **Tafel**, die Tafeln
der **Tag**, die Tage
die **Tante**, die Tanten
die **Tasche**, die Taschen
das **Taxi**, die Taxis
der **Teddy**, die Teddys
der **Tee**, die Tees
das **Telefon**, die Telefone
das **Tier**, die Tiere
der **Tiger**, die Tiger
der **Tisch**, die Tische
der **Titel**, die Titel
die **Tochter**, die Töchter
tragen, er trägt
träumen, sie träumt
treffen, er trifft
trinken, sie trinkt
turnen, er turnt
typisch

U

üben, sie übt
überall
das **Ufo**, die Ufos
die **Uhr**, die Uhren

 V

der **Vampir**, die Vampire
die **Vase**, die Vasen
der **Vater**, die Väter
der **Verkehr**
das **Verlies**, die Verliese
der **Vers**, die Verse
versuchen, er versucht
der **Vertrag**, die Verträge
viel, viele
vier
die **Villa**, die Villen
der **Vogel**, die Vögel
vom
von
der **Vortrag**, die Vorträge

warm

die **Wärme**

warten, sie wartet

waschen, er wäscht

das **Wasser**

der **Wecker,** die Wecker

der **Weg,** die Wege

wegfliegen, er fliegt weg

Weihnachten

weiß

weit

werden, es wird

wieder

die **Wiege,** die Wiegen

die **Wiese,** die Wiesen

das **Wildschwein,** die Wildschweine

der **Wind,** die Winde

der **Winter**

die **Woche,** die Wochen

wohnen, sie wohnt

wollen, sie will

das **Wort,** die Wörter

wünschen, er wünscht

der **Wurm,** die Würmer

die **Wurzel,** die Wurzeln

das **Xylofon,** die Xylofone

die **Zahl,** die Zahlen

zählen, sie zählt

der **Zahn,** die Zähne

die **Zehe,** die Zehen

das **Zebra,** die Zebras

zehn

zeigen, er zeigt

die **Zeit**

die **Ziege,** die Ziegen

das **Zimmer,** die Zimmer

der **Zoo,** die Zoos

der **Zucker**

zwei

der **Zwerg,** die Zwerge

die **Zwiebel,** die Zwiebeln

zwölf

Übersicht zu den Kompetenzen

Kapitel	Sprechen und zuhören	Texte verfassen
Mein Sprachbuch Seite 4–5	im Buch orientieren: Einstiegsspiel zum Kennenlernen	
In der Schule Seite 6–15	zu anderen sprechen: appellieren: **Wünsche** formulieren und begründen **6**, **7**; Gespräche führen: **Gesprächsregeln** entwickeln und beachten **6**, **7**	Texte planen: Schreibideen entwickeln und sammeln **8**; Texte schreiben: eigene kurze Texte verfassen **8**, **9**; Texte schreiben: nach Mustern schreiben (**Wünsche**) **8**, **9**; Texte überarbeiten: den eigenen Text anhand von Kriterien überarbeiten (Schreibtipps) **9**; Texte präsentieren: Text für die Veröffentlichung aufbereiten (**Plakat**) **9**
So macht es Quiesel Seite 16–17	über Lernen sprechen: Lernergebnisse präsentieren (**Portfolio**) **16**; über Lernen sprechen: Begründungen und Erklärungen geben **16**;	
Große Tiere, kleine Tiere Seite 18–27	verstehend zuhören: Fragen verstehen, beantworten und stellen **18**, **19**; zu anderen sprechen: informieren **18**, **19**; über Lernen sprechen: Fachbegriffe verwenden **18**, **19**	Texte schreiben: zu einem Impuls frei schreiben **20**, **21**; Texte schreiben: Texte nach Mustern schreiben (**5-Finger-Geschichte**) **20**, **21**; Texte überarbeiten (Schreibtipps) **21**; Texte präsentieren: Text für die Veröffentlichung aufbereiten **21**
So macht es Quiesel Seite 28–29	Rechtschreibhilfen verwenden: **Wörterbuch/Wörterliste** verwenden **28**; Arbeitstechnike nutzen: Übungsformen selbstständig nutzen (**Profikarte**) **29**;	
Ich – Du – Wir Seite 30–39	zu anderen sprechen: Sprachkonventionen kennen und beachten: Begrüßungen **30**, **31**; Dialekte erkennen **30**, **31**; zu anderen sprechen: eigene Gefühle formulieren und die anderer verstehen **30**, **31**; funktionsangemessen sprechen: berichten, erklären **30**, **31**; szenisch spielen: Gesprächssituationen nachspielen und fortsetzen **30**, **31**	Texte schreiben: Texte nach Mustern schreiben (5-Finger-Geschichte) **31**; Texte planen: passende Überschrift finden (**Gruppengeschichte**) **32**, **33**; Texte überarbeiten: durch Textvergleich Kriterien für gelungene Texte entwickeln **33**; Texte präsentieren: Text für die Veröffentlichung aufbereiten **33**; über Schreibfertigkeiten verfügen: Texte zweckmäßig und übersichtlich gestalten **33**
So macht es Quiesel Seite 40–41	zu anderen sprechen: Empathie entwickeln **40**; Gespräche führen: Konflikte vermeide diskutieren, klären und lösen **40**; über Lernen sprechen: **andere beim Lernen unters zen** und Ratschläge geben **40**; über Lernen sprechen: vergleichen **40**;	
Echt abenteuerlich Seite 42–51	funktionsangemessen sprechen: beschreiben/erklären **42**, **43**; funktionsangemessen sprechen: berichten **42**, **43**	Texte schreiben: Texte nach Mustern schreiben (**Ereigniskarten**) **43**; Texte planen: Schreibideen sortieren (**INES**) **44**; Texte schreiben: zu einem Impuls frei schreiben **44**; Texte überarbeiten: **Schreibkonferenz** durchführen **45**; Texte überarbeiten (Schreibtipps) **45**; Texte präsentieren: Text für die Veröffentlichung aufbereiten **45**

rachliche Begriffe kennen und verwenden: **Alphabet** als rdnungssystem kennen und anwenden **10**; sprachliche egriffe kennen und verwenden: **Vokale** und **Konso- nnten** unterscheiden und benennen **10**; an Wörtern, ätzen, Texten arbeiten: mit Sprache experimentieren **10**, ; sprachliche Strukturen entdecken: Wörter in **Silben** rlegen und aus Silben zusammensetzen **11**

mit Quiesel: **Alphabet** als Ordnungssystem kennen d anwenden **14**; **Vokale** und **Konsonanten** kennen **14**

Rechtschreibstrategien verwenden: **Schwingen 12, 13**; über Fehlersensibilität/Rechtschreibgespür verfügen: Rechtschreibstrategien und Regeln anwenden (Wör- ter mit **-el, -en, -er**) **13**; geübte, rechtschreibwichtige Wörter normgerecht schreiben **13**; methodisch sinnvoll abschreiben **13**

Fit mit Quiesel: **Silben** kennen **15**; Rechtschreibstrate- gien nutzen: **Schwingen 15**

beitstechniken nutzen: Wörter methodisch sinnvoll abschreiben (**Quiesel-Karte**) **17**

rachliche Begriffe kennen und verwenden: **Nomen** rwenden und erkennen **22, 23, 24**; sprachliche Begriffe nnen und verwenden: **Einzahl, Mehrzahl, Artikel 23**,

mit Quiesel: **Nomen** verwenden und erkennen **26, 27**

Rechtschreibwissen: **Großschreibung** von Nomen beach- ten **24**; ähnliche Laute und Lautfolgen unterscheiden und sie den entsprechenden Buchstaben zuordnen (Wörter mit **ch**) **25**; geübte, rechtschreibwichtige Wörter normgerecht schreiben **25**; methodisch sinnvoll abschreiben **25**

Fit mit Quiesel: **Großschreibung** von Nomen beachten **26, 27**

übte, rechtschreibwichtige Wörter normgerecht schreiben **29**; über Fehlersensibilität/Rechtschreibgespür verfügen: chtschreibgespräche führen **29**

rachliche Begriffe kennen und verwenden: **Verben** rwenden und erkennen **34**; an Wörter, Sätzen, Texten beiten: spielerisch mit Sprache umgehen **35**; sprach- he Begriffe kennen und verwenden: Satzzeichen setzen ankt) **35**

mit Quiesel: **Verben** verwenden und erkennen **39**

Zeichensetzung beachten: **Punkt 36**; **Großschreibung** am Satzanfang beachten **36**; ähnliche Laute und Lautfolgen unterscheiden und sie den entsprechenden Buchstaben zuordnen (Wörter mit **G/K** und **B/P**) **37**; geübte, rechtschreibwichtige Wörter normgerecht schrei- ben **37**; methodisch sinnvoll abschreiben **37**

Fit mit Quiesel: **Sätze** erkennen und abgrenzen **38**; **Großschreibung** und Satzschlusszeichen beachten **38**

beitstechniken nutzen: Übungsformen selbstständig nutzen (**Abschreibtext** üben) **41**; Arbeitstechniken nutzen: Wör- methodisch sinnvoll abschreiben **41**; geübte, rechtschreibwichtige Wörter normgerecht schreiben **41**

Wörtern, Sätzen, Texten arbeiten: kreativ mit Sprache gehen **46**; an Wörtern, Sätzen, Texten arbeiten: mit rache experimentieren **46**; an Wörtern, Sätzen, Texten eiten: Sprachspiele/**Geheimschriften** entschlüsseln **47**; achliche Begriffe kennen und verwenden: **Adjektive** nen und verwenden **46**

mit Quiesel: **Adjektive** verwenden und erkennen **50**,

Rechtschreibstrategien verwenden: Sprechschwingen/ Schreibschwingen (Wörter mit **r** in der Silbenfuge) **48**; über Fehlersensibilität verfügen **49**; Zeichenset- zung beachten: **Punkt 49**; **Großschreibung** (Nomen, Satzanfang) beachten **49**; geübte, rechtschreibwichtige Wörter normgerecht schreiben **49**; methodisch sinnvoll abschreiben **49**

BAUSTEINE Sprachbuch 2

Erarbeitet von

Katharina Acker (Köln), Björn Bauch (Kirchzarten),
Ulrike Dirzus (Kamen), Matthias Greven (Olpe), Gabriele Hinze (Metelen),
Alexandra Isack (Frankfurt) und Hans-Peter Schmidt (Siegen)

Auf der Grundlage von

BAUSTEINE Sprachbuch 2 (Ausgabe 2008)
Erarbeitet von Björn Bauch, Ulrike Dirzus, Matthias Greven,
Gabriele Hinze, Alexandra Isack und Hans-Peter Schmidt

Illustriert von

Lars Baus, Antje Bohnstedt, Naeko Ishida, Katja Jäger und Karen Krings
sowie Franziska Kalch (Anlautbilder) und Evelyn Scherber (Kapitelvignetten)

Abbildungsnachweis

alamy images, Abingdon/Oxfordshire: 78.1, 78.3, 115.1, 126.2; Blickwinkel, Witten: 28.7 (R. Kaufung); Corbis, Düsseldorf: 28.2 (Frans Lanting); fotolia.com, New York: 18.1-.3, 19.3, 19.4, 28.5 (Rüdiger Jahnke), 28.6 (K-U Häßler), 78.2 (creativeyes), 127.3 (marilyn barbone), 127.4 (mandy 478); Gallimard Jeunesse, Paris Cedex 07: 114.2, .3 (René Mettler: „La nature au fil des mois",1997), 115.3, .4 (René Mettler: „La nature au fil des mois", 1997); iStockphoto, Calgary: 88.2-.5 (David Gunn); mauritius images GmbH, Mittenwald: 127.5 (Hiroshi Higuchi); naturganznah, Falkenfels: 114.2; OKAPIA KG Michael Grzimek & Co., Frankfurt am Main: 28.1 (Hubacher), 28.8 (Guerrier/Nature), 114.1, 115.2, 127.1 (Oswald Eckstein); Panther Media GmbH, München: 28.4 (Gojaz Alkimson), 78.4 (David Rajecky), 78.5 (Monkeybusiness Images); Picture-Alliance GmbH, Frankfurt/M.: 19.1, 127.2;
Schroedel Archiv: 126.1; Shutterstock Images LLC, New York: 18.4, 19.2; Tierbildarchiv Angermayer, Holzkirchen: 28.3; Verlag Friedrich Oetinger GmbH, Hamburg: 113.2 (Dietl, Erhard: Die Olchis sind da).

Quellennachweis

S. 38 Brender, Irmela: Wir (gekürzt). Aus: Gedichte für Anfänger. Hg. Joachim Fuhrmann. Reinbek 1980. S. 89 Hoffmann von Fallersleben, August Heinrich: Maler Frühling. Aus: Gesammelte Werke. Fontane Verlag, Berlin 1890. Alle anderen Texte sind Originalbeiträge der Autorinnen und Autoren.

© 2014 Bildungshaus Schulbuchverlage
Westermann Schroedel Diesterweg Schöningh Winklers GmbH, Braunschweig
www.diesterweg.de

Druck A³ / Jahr 2016
Alle Drucke der Serie A sind im Unterricht parallel verwendbar.

Redaktion: Nicole Amrein
Umschlaggestaltung: blum design umd kommunikation GmbH, Hamburg, Foto: Dirk Schmidt/dsphotos.de, Illustration: Antje Bohnstedt
Layout: Annette Forsch, Berlin, Silke Schwarz, Köln und Annette Henko
Satz und technische Umsetzung: Sonja Burk, Frankfurt am Main
Druck und Bindung: westermann druck GmbH, Braunschweig

ISBN 978-3-425-**16211**-9